SV

Niklas Luhmann

Liebe

Eine Übung

Herausgegeben von
André Kieserling

Suhrkamp

Bibliografische Information der Deutschen Nationalbibliothek
Die Deutsche Nationalbibliothek verzeichnet diese Publikation
in der Deutschen Nationalbibliografie
http://dnb.d-nb.de

Erste Auflage 2008

Einbandgestaltung: Hermann Michels
und Regina Göllner
Druck: CPI – Ebner & Spiegel, Ulm
Printed in Germany
ISBN 978-3-518-58504-7

3 4 5 6 – 13 12 11 10

Liebe

Inhalt

Liebe als Passion (1969)

9

Anmerkungen

77

Editorische Notiz

93

Liebe als Passion*

Übung SS 1969

Obwohl ein sozialer Tatbestand mit unbestreitbarer Bedeutung, obwohl ein literarisches Thema mit alter Tradition, hat das Phänomen der Liebe bisher kaum nennenswerte soziologische Forschung auf sich gezogen. Man kann und wir werden einschlägige Vorarbeiten heranziehen: Einige empirische Forschungen zu Teilaspekten, einige gescheite, scharfblickende Reflexionen lassen sich auftreiben. Eine anspruchsvolle theoretische Behandlung des Themas fehlt – vermutlich deshalb, weil es an theoretischen Konzeptionen fehlt, von denen aus der Anspruch begründet werden könnte, einer so komplexen, so konkreten und doch so weittragenden Erscheinung des täglichen Lebens gerecht zu werden.

Um einen solchen Versuch geht es den folgenden

* Schon das Typoskript, das Luhmann 1969 als Seminarvorlage verwendete, trägt den Titel seines 1982 erschienenen Buches: *Liebe als Passion*. Näheres zu den Beziehungen zwischen diesen beiden Texten findet sich in der editorischen Notiz auf S. 92.

Überlegungen. Ihnen liegen an anderem Ort veröffentlichte Vorschläge zu einer Theorie sozialer Systeme zugrunde.[1] Aus deren Zusammenhang greifen wir den Begriff des *Kommunikations*mediums heraus. Dessen Erläuterung und Anwendung auf den besonderen Fall der Liebe dient der I. Teil. Liebe wird dabei nicht in der konkreten Einzigartigkeit des Phänomens auf sich selbst isoliert, sondern als Problemlösung behandelt, die von Systemstrukturen abhängt und anderen Problemlösungen vergleichbar ist. Im II. Teil wird auf dieser Grundlage gezeigt werden, daß und wie im Laufe der gesellschaftlichen Entwicklung dieses Kommunikationsmedium Liebe stärker beansprucht und darum gesellschaftlich ausdifferenziert und auf seine besondere Eigenart und spezifische Funktion hin institutionalisiert wird. Damit gewinnt (III.) das Verhältnis von Sexualität und Liebe einen veränderten Sinn. Im IV. und V. Teil soll dann versucht werden, einige Folgeprobleme dieser Strukturveränderungen zu beleuchten.

Mit der Kategorie des Kommunikationsmediums ist zugleich abgemacht, daß wir Liebe in diesem

Zusammenhang nicht als ein objektiv feststellbares Gefühl bestimmter Art behandeln und dessen Vorkommen feststellen, kausal begründen oder auf das organische oder psychische System von Menschen hin funktionalisieren wollen. Für unser Argument ist umgekehrt eine gewisse Ambivalenz und Plastizität der Gefühlslage wesentlich (obwohl das Kommunikationsmedium Liebe natürlich nicht mit beliebigen Motivationsstrukturen kompatibel ist). Es kann durchaus sein, daß der Durchbruch zu erster Unabhängigkeit von den Eltern, die Erregung bei ersten erfolgsunsicheren Kontakten oder bei erster Anerkennung durch Geschlechtspartner mit Hilfe eines kulturellen Klischees als Liebe interpretiert wird – und dann zu Liebe gemacht wird. Wir zwingen uns nicht, das als Selbsttäuschung über das »eigentliche« Gefühl zu behandeln, sondern sehen in solchen Gefühlsdeutungen mehr oder weniger weittragende Effekte kultureller Sozialisierung. Uns interessiert nicht deren Verarbeitung im psychischen, sondern deren Funktion im sozialen System.

I.

Die allgemeine Lebenslage des Menschen ist gekennzeichnet durch eine übermäßig komplexe und kontingente Welt. Die Welt ist komplex insofern, als sie mehr Möglichkeiten des Erlebens und Handelns birgt, als je aktualisiert werden können. Sie ist kontingent insofern, als diese Möglichkeiten sich in ihr abzeichnen als etwas, das auch anders sein oder anders werden könnte. Das wichtigste menschliche Ordnungsmittel in dieser Welt ist Sinnbildung und Kommunikation, mit der die Menschen sich darüber verständigen, daß sie dasselbe meinen und weiterhin meinen werden. Kommunikation erhält durch strukturierte Sprache den Grad an Effektivität, der den Menschen zum Aushalten einer solchen Welt und zu weitausgreifender Selektivität in ihr befähigt. Neben sprachlicher gibt es aber auch nichtsprachliche Kommunikation als Hilfsmittel der Interpretation des gesprochenen Wortes und als eigenständige Sinnübermittlung, und gerade in Angelegenheiten der Liebe sind nichtverbale

Kommunikationsweisen wichtig und unentbehrlich.
Weder sprachliche noch nichtsprachliche Kommunikation vermögen allein zu erreichen, daß ein anderer Mensch übermittelte Sinngehalte akzeptiert, das heißt als Prämisse eigenen Erlebens und Handelns übernimmt.[2] Gerade die eigentliche Leistung sinnvoller Kommunikation, die Selektion bestimmter Erlebnisperspektiven aus einem weiten Bereich anderer Möglichkeiten, macht das Akzeptieren des so ausgewählten Sinnes fraglich: Der andere könnte *seine* Auswahl *anders* treffen. Die Erhaltung einer intersubjektiv konstituierten Welt von hoher Komplexität und Kontingenz als Auswahlbereich für alternativenreiche Selektion setzt deshalb voraus, daß es im zwischenmenschlichen Verkehr Einrichtungen gibt, die Selektion und Motivation zugleich leisten. Solche Einrichtungen nennen wir *Medien der Kommunikation*. Kommunikationsmedien sind somit zunächst nur durch Angabe einer Funktion (und noch nicht durch konkrete Strukturen oder Prozesse) definiert. Sie verbinden Selektions- und Motivationsmechanismen; sie motivieren durch die Art

und Weise ihrer Selektion zur Annahme des so ausgewählten Sinnes.
Wie das möglich ist, bleibt damit zunächst offen.[3] Es gibt mehrere, grundverschiedene Formen der Motivation durch Selektion, die in dieser hochabstrakten funktionalen Perspektive als äquivalent erscheinen. Liebe ist eine von ihnen. Wahrheit, Macht, Geld, Kunst wären andere.
In einer ersten groben Einteilung kann man Kommunikationsmedien danach unterscheiden, ob der übertragene Sinn sich auf Erleben oder Handeln bezieht. Erleben ist Sinnverarbeitung, deren Selektivität der Welt selbst zugerechnet wird. Handeln ist Sinnverarbeitung, deren Selektivität dem Handelnden selbst zugerechnet wird. Konkret setzt natürlich alles Handeln Erleben und alles Erleben Handeln voraus. Die Unterscheidung hat zunächst analytischen Wert, darüber hinaus aber auch einen Realitätsbezug in dem Maße, als Systeme sich ausdifferenzieren und die Zurechnung der Reduktion von Komplexität auf die Welt bzw. auf ein System getrennt werden kann.
Einige Kommunikationsmedien, nämlich Macht und Geld, motivieren in erster Linie die Über-

nahme von Selektionsleistungen, die sich als Entscheidung über Handlungen verstehen: Man akzeptiert einen Befehl oder eine Auswahl aus dem gesellschaftlichen Potential wirtschaftlicher Befriedigungsmöglichkeiten. Andere Medien regeln dagegen das Annehmen der Welt in einer Festlegung auf bestimmten oder doch bestimmbaren Sinn – der Welt als Kosmos, als Ordnung, in der nicht mehr alles möglich ist. In dieser Richtung ist die Funktion der Medien, Wahrheit, Kunst und Liebe zu suchen. Damit ist die Handlungsrelevanz dieser Medien nicht geleugnet, aber sie wird nicht direkt, sondern indirekt durch das Medium gesteuert – vermittelt durch überzeugendes Erleben.

Diese Unterscheidungen geben dem Kommunikationsmedium Liebe eine erste, sehr wichtige Kontur. Liebe wäre nicht angemessen begriffen, wollte man sie lediglich als Motivation zu bestimmtem Handeln – etwa zu geschlechtlicher Hingabe – deuten – sei es, daß dieses Handeln durch den Begriff des Mediums vorgegeben, sei es, daß es vom Partner ausgewählt (»verlangt«) gedacht wird. Liebe färbt zunächst das Erleben, verändert damit die Welt als Horizont des Erlebens und Handelns mit der ihr eigenen Totalität. Sie verleiht gewissen Dingen und Ereignissen, Personen und Kommunikationen eine besondere Überzeugungskraft. Und erst in zweiter Linie motiviert sie zum Handeln, das um seiner symbolisch-expressiven, Liebe ausdrückenden Bedeutung willen gewählt wird oder nahegelegt wird durch die besondere Welt, in der man sich mit dem geliebten Menschen einig weiß: die Welt des gemeinsamen Geschmacks und der gemeinsamen Geschichte, der besprochenen Themen und bewerteten Ereignisse. Nicht das Handlungspotential oder die Auswahl, die er daraus situationsweise trifft, sondern das Sein und die Erlebnisweise eines anderen Menschen sind der Angelpunkt des Mediums.

Soziale Systeme, die sich im Hinblick auf Liebe strukturieren, stellen sich selbst unter die Forderung kommunikativer Offenheit für nicht im voraus festgelegte Themen – also unter hohes Risiko. Das gesamte Erleben der Partner soll gemeinsames Erleben sein, jeder soll erzählen, was er täglich erlebt, soll seine Probleme vor dem anderen ausbreiten und sie mit ihm gemeinsam lösen. Es soll keine »Fronten« geben, keine Darstellungen, die aufgebaut, gehalten und verteidigt werden und hinter denen sich Verschwiegenes verbirgt. Und in der Tat ist das Bedingung für ein realistisches (nicht projektives) Erwarten der Erwartungen des anderen, auf dessen Bedeutung wir zurückkommen werden. Die Institutionalisierung unspezifischer kommunikativer Offenheit setzt Diskretion voraus. Diskretion ist auf erkennbare Systemgrenzen angewiesen und in diesem Falle auch darauf, daß beide Partner dieselben Systemgrenzen kennen und beachten und dies voneinander wissen und erwarten können. Diese Forderungen finden in dem Ideal und dem vorausgesagten Ehetypus der »companionship« Ausdruck, das die amerikanische Familiensoziologie pflegt und in den Grenzen seiner Realisierung testet. Sie können in modernen Ehen als durchweg institutionalisiert gelten – was nicht heißt, daß sie durchweg beachtet werden, sondern nur, daß entsprechenden Erwartungen nicht offen widersprochen werden kann: Eine Frau läuft nicht das Risiko einer offenen Zurückweisung (»Das geht Dich nichts an«), wenn sie fragt: »Warum kommst Du heute so spät?« Daß sie die Wahrheit erfährt, ist allerdings durch die Institution allein noch nicht gewährleistet.

Verglichen mit anderen Medien der Erlebnissteuerung hat Liebe ihre Besonderheit in der Art und Weise, wie sie Selektionsform und Motivation verbindet. Im Falle der Wahrheit gilt die Kommunikationsbedingung, daß jedermann mitgeteilten Sinn akzeptieren muß, will er nicht aus dem Kreis vernünftiger Menschen ausscheiden. Wahrheit verbindet ohne Ansehen der Person alle relevant miterlebenden Menschen (das sind nicht notwendig alle Menschen schlechthin) zu gemeinsamer Weltvorstellung. Individuelle Eigenarten spielen keine Rolle. Diskrepanzen des Erlebens werden nicht der Welt, sondern den subjektiven Erlebnisbedingungen zugerechnet und werden, wenn sie zum Bestreiten von Wahrheiten führen, dadurch bereinigt, daß der abweichend Erlebende als verrückt, fremdartig, kindlich usw. aus der Gemeinschaft relevant miterlebender Menschen ausgeschlossen wird. Der wissenschaftliche Wahrheitsbegriff ist nur eine Ausprägung und Spezifikation dieses natürlichen Wahrheitsbegriffs.[4]

Im Gegensatz dazu operiert Liebe unter der Gegenbedingung, daß die Individualität des erlebenden Menschen nicht neutralisiert, sondern gerade zum Bezugspunkt der Reduktion gemacht wird. Weil der Mensch, den ich liebe, in bestimmter Weise sieht, fühlt und urteilt, überzeugt sein Weltbild auch mich. Weil er diese Landschaft und diese Menschen, diese Themen der Unterhaltung, diese Formen des Wohnens und diesen Stil des Genusses bevorzugt, liegt auch für mich darin mehr Sinn als in anderen Möglichkeiten. Der Liebe fehlt die Universalitätsbedingung der Wahrheit, und darum kann sie eine konkretere Nahwelt bestätigen. Sie ist nicht beschränkt auf für alle gleich gültigen Sinn, sondern trifft eine engere Auswahl, die nicht mehr auf jedermann übertragen werden kann, sondern nur für die Sich-Liebenden gilt; die insofern aber der Wahrheit noch ähnlich ist, als sie auch für sie als gemeinsame Sinnvorgabe gilt und nicht als Entscheidung der einen Seite, die die andere akzeptieren muß. Die Konkretisierung und Sinnverdichtung wird durch Einschränkung der intersubjektiven Übertragbarkeit – im Grenzfalle: auf einen Menschen – erreicht. Eben

deshalb ist es wichtig, diese Absonderung von den wahrheitsfähigen Themen auch zu gewährleisten – etwa bei der Eheschließung gleich auch einen Brockhaus zu kaufen, damit Differenzen, die auf der Ebene der Wahrheit beigelegt werden können, nicht zu Differenzen des persönlichen Meinens, des Erwartens von Meinungen und damit zu Differenzen in der Liebe anschwellen.
Auch Kunst hat konkrete Individualität zum Bezugspunkt der Reduktion – aber die Individualität nicht eines Menschen, sondern eines sachlichen (physischen oder symbolischen) Gegenstandes, der durch seine Form Welt ordnet: eines Bildes, einer Tonfolge oder Wortfolge, einer Geschichte oder auch eines sich selbst darstellenden Organismus. Das Sichzurechtmachen und Herausputzen, die Selbststilisierung als Kunstwerk macht einen Menschen noch nicht liebenswert, kann aber zur Darstellung der Interaktionsbereitschaft dienen, zum Anlocken und als Aufforderung zum Entdecken des liebenswerten Inneren. Dabei macht, wer seine Reize an sich selbst zur Schau stellt, sich den Umstand zunutze, daß das Angebot den noch nicht spezifizieren kann, dessen Interesse

erweckt werden soll, also »freibleibend« ist und noch nicht zur Liebe verbindet.
Mit diesen Abgrenzungsanalysen haben wir die Umrisse des besonderen Kommunikationsmediums Liebe gewonnen. Liebe übermittelt Selektionsleistungen durch Orientierung an dem individuellen Selbstverständnis und der besonderen Weltsicht eines anderen oder einiger anderer Menschen. Auf Konkretheit und individuellem Zuschnitt der Erlebnisverarbeitung beruht auch die spezifische Funktion dieses Mediums. Liebe vermittelt eine doppelte Sinnbestätigung: In ihr findet man, wie oft bemerkt, eine unbedingte Bestätigung des eigenen Selbst, der personalen Identität. Hier, und vielleicht nur hier, fühlt man sich als der akzeptiert, der man ist – ohne Vorbehalte und ohne Befristung, ohne Rücksicht auf Status und ohne Rücksicht auf Leistungen. Man findet sich in der Weltsicht des anderen erwartet als derjenige, der zu sein man sich bemüht. Die Fremderwartungen des anderen konvergieren mit den Eigenerwartungen des Ich, mit der Selbstprojektion.[5] Das befreit vom ewigen Kreisen des inneren Monologs und befähigt zur Selbstmitteilung

nach außen und damit auch zum Lernen an der Resonanz und zur Anpassung an sich ändernde Lebenslagen. Und eben deshalb, weil man seinen Platz darin hat, kann man auch die Weltsicht des anderen akzeptieren, in sehr konkreten Ansichten Konsens finden. Mit einer Ichbestätigung verbindet sich die gemeinsame Konstitution einer Nahwelt der täglichen Lebensführung und Interaktionssteuerung, des wechselseitigen Erwartens von Erwartungen und all dessen, was dies impliziert: die Fröhlichkeit der Schritte, die über die Schwelle kommen, und die Gewißheit des gemeinsamen Gedankens zur gleichen Stunde.[6]

Zur Frage einer Wechselbeziehung von Liebe und Weltsicht hat sich bereits eine umfangreiche experimentelle Forschung angesammelt, die jedoch in wesentlichen Hinsichten zu einfach angesetzt war und deshalb keine überzeugenden Ergebnisse eingebracht hat. Durchweg hatte man das Problem gestellt als Hypothese einer Korrelation von Attraktivität der Gruppe und Ähnlichkeit der Auffassungen bzw. Einstellungen – eine Korrelation, die oft verifiziert werden konnte und als einigermaßen gesichert gilt.[7] Dabei blieb die

Vermittlung der direkten Weltsicht durch die intersubjektive Konstitution des Ich und der Welt ebenso außer acht wie die (experimentell schwer variierbare) Intimität und »Tiefe« der Beziehung. Dazu kommt, daß in diesen Forschungen die neueren Entwicklungen der Persönlichkeitstheorie noch nicht berücksichtigt sind. All das zusammen wird für unsere Zwecke eine komplexere und zugleich spezifischer auf das Medium der Liebe zugeschnittene Begrifflichkeit erforderlich machen.

Die Integration von Ichsein und Weltkonstitution durch Liebe beruht auf einem sehr konkreten, alternativenarmen Niveau der personalen Erlebnisverarbeitung in der Nahwelt.[8] Darin hat sie ihre Leichtigkeit und ihre Überzeugungskraft: Sie problematisiert weder im Ich noch im Du noch in der Welt die volle Kontingenz anderer Möglichkeiten. Diese Funktionsbasis gibt der Liebe eine Art gesellschaftliche Unentbehrlichkeit. So sehr es denkbar ist, ein Einzelleben ohne Liebe zu führen und gleichwohl – zum Beispiel durch Leistung und Erfolg – zur Selbstbestätigung-in-der-Welt zu finden, so wenig läßt Liebe sich als gesamtgesellschaftlicher Mechanismus ersetzen. Allein schon für die Kleinkindsozialisierung, die nur über sehr konkrete und doch schon sinnhaft-verweisungsreiche Erlebnisverarbeitung erfolgen kann, dürfte sie unentbehrlich sein. Aber auch für Erwachsene gelingt ein Ausgleich von Schicksalsschlägen, ein Aushalten einer problemreichen und fluktuierenden Umwelt besser und anstrengungsloser, wenn Intimbeziehungen feste Haltepunkte bieten und Gelegenheiten, auszudrücken und bestätigt zu finden, daß man gerade in diesen Schwierigkeiten und trotz aller Veränderungen derselbe bleibt.[9] Auf dieser Grundlage lassen sich nicht nur Probleme interner kommunikativer Verständigung besser lösen. Sie befähigt auch zu gemeinsamem oder doch übereinstimmendem Agieren in einer Umwelt, die kompliziert geworden ist und so rasch wechselnde Bedingungen vorgibt, daß die gebotene Reaktion selten im voraus feststeht, nicht moralisch eindeutig definiert und auch nicht immer intern fallweise abgestimmt werden kann, sondern in spontanem Einklang erfolgen muß. Man wird deshalb davon ausgehen müssen, daß andere Medien der Kommunikation nur sehr be-

grenzt für Liebe eintreten können, so wie auch Liebe nicht ohne Grenze an die Stelle von Wahrheit oder Macht oder Geld treten kann.
Das besagt jedoch nicht, daß Liebe als eine Art Naturphänomen oder als ewig geltende moralische Idee, also als historische und evolutionäre Konstante behandelt werden müsse. Die Beanspruchung ihrer Funktion und ihre Ausdrucksmöglichkeiten, die Formen ihrer gesellschaftlichen Integration und deren Folgeprobleme wandeln sich im Laufe der Entwicklung. Ein soziologischer Begriff der Liebe wird seine Probe darin bestehen, diesen Wandel deuten zu können.

II.

Im Laufe der Evolution des Gesellschaftssystems nimmt die Komplexität der Gesellschaft und der für sie tragbaren Welt zu. Das verändert allmählich, zuweilen auch in abrupten Schüben, die Ausgangslage, in der die Kommunikationsmedien operieren. Jeder mitgeteilte Sinn wird zur Auswahl aus mehr anderen Möglichkeiten, alles

Bestimmte gewinnt eine höhere Selektivität. Und entsprechend werden Kommunikationsmedien stärker beansprucht. Die Kontingenz der Welt wird zunehmend sichtbar, die Sprache verliert ihre Verbindung mit der Natur, der Bedarf für Begründungen steigt, die Motivation, diesen und nicht anderen Sinn anzunehmen, diesen und nicht anderen Hinweisen im Erleben und Handeln zu folgen, wird schwieriger. Daß Selektion auch zugleich motiviert, wird nun zum Problem und damit zum Bezugspunkt für die funktionale Spezifikation sozialer Mechanismen. Die einzelnen Kommunikationsmedien lösen sich daher im Laufe der gesellschaftlichen Entwicklung voneinander ab und treten auseinander. Es wird möglich, daß der Mächtigste nicht zugleich der Reichste ist und auch nicht glaubt, besonders geliebt zu werden; daß Liebe sich eine wahrheitsunfähige, ja weithin fiktive Welt schafft und sich den Befehlen der Mächtigen, der Hausväter, nicht fügt; daß die Kunst den Gesetzen der Natur und der Sprache spottet. Zugleich werden die Medien, wie wir am Beispiel der Liebe ausführlich zeigen wollen, von allgemeingesellschaftlichen Rücksichten entlastet; vor allem werden die Bindungen an die durchgehend geltende Moral abgebaut und durch Sonderbewertungen – etwa die heuristische, wahrheitsskeptische Forschungsmethode oder die politische ratio status der Neuzeit – ersetzt.[10] Solche Trennungen ermöglichen die funktionale Spezifikation der Medien. In ihnen liegen die wesentlichen gesellschaftsstrukturellen Bedingungen – nicht unmittelbar für das individuelle Gefühl, aber für die Institutionalisierung von Liebe in Formen, die ihrer Funktion entsprechen und es ihr ermöglichen, jenen gestiegenen gesellschaftlichen Anforderungen zu genügen.

Man kann diese Entwicklung zur Ausdifferenzierung und funktionalen Spezifikation der Liebe bereits an ihrer Topologie, an ihrer verbalen, thematischen Interpretation im Laufe der Geistesgeschichte ablesen. Gewiß kann die Verbaldarstellung der Liebe von Soziologen nicht beim Wort genommen und als zuverlässige Realitätsbeschreibung akzeptiert werden. Sie ist andererseits mehr als eine illusionäre Selbsttäuschung oder falsche Rationalisierung. Die folgenden Überlegungen sind von der These getragen, daß die literarische, idealisierende und mythisierende Darstellung der Liebe ihre Themen und Leitgedanken nicht zufällig wählt, sondern damit auf ihre jeweilige Gesellschaft reagiert; daß sie zwar nicht die Realität widerspiegelt, wohl aber angebbare Probleme löst, nämlich funktionale Notwendigkeiten des Gesellschaftssystems in Form bringt. Die jeweilige Mythologie der Liebe kann uns daher einen Zugang eröffnen für das Verständnis des Verhältnisses von Kommunikationsmedium und Gesellschaftsstruktur.

Mit den Worten philos-philia-amicitia-amour verbindet sich eine vielseitige literarische Tradition, deren Angelpunkt im Problem der Solidarität liegt.[11] Es ist schon der Aufmerksamkeit wert, daß das Grundwort für Liebe in der älteren griechischen Literatur nur als Adjektiv (philos) zu finden ist, als Bezeichnung für Haus- und Verwandtschaftsverhältnisse einer nach Häusern, Geschlechtern und Stämmen differenzierten Gesellschaft dient und soviel wie nahestehend, zugehörig heißt (angewandt auch auf Dinge, Tiere, den eigenen Körper), also die Gesellschaftsstruktur unmittelbar zum Ausdruck bringt.[12] Der Bedarf für ein Hauptwort, die Neubildung Philia, tritt erst beim Übergang von der spätarchaischen zur politisch bestimmten Hochkultur auf, zugleich mit einer Generalisierung sowohl des Nutzenelementes als auch der Affektlage, die den Begriff ins Unbestimmte verschwimmen läßt. Das führt teils zu zunächst folgenlosen Gegenbewegungen, die das Nutzenelement aus dem Begriff auszuschalten versuchen und ihren Höhepunkt in der platonischen Eros-Spekulation finden, teils zur Überleitung der Tradition in den Grundbegriff der koinonia-societas (insbes. koinonia politike – societas civilis), der für die Folgezeit bis in die Neuzeit hinein mit dem Begriff der philia-amicitia fest verbunden bleibt. Liebe ist und bleibt für die alteuropäische Tradition trotz erkannter Besonderheit ein konstituierendes Merkmal der Gesellschaft selbst.[13] Die wahre Liebe gründet sich auf das Prinzip, das auch die Gesellschaft begründet, wird zunächst als politische Liebe, dann als religiöse Liebe des anderen in Gott dargestellt.

Damit wird eine Gesellschaft interpretiert, die als Interaktionserleichterung positive Empfindungen ihrer Mitglieder zueinander, nicht aber gegenüber Fremden erwartet – Liebe aufgrund von Bekanntheit und Vertrautheit, Zugehörigkeit und wechselseitiger Hilfe. Das Erotische ist nicht ausgeschlossen, aber für die Strukturbildung nicht wesentlich. Passionierte individuelle Zuneigung kommt natürlich vor, macht sich gesellschaftlich aber eher als störende Kraft bemerkbar, die, zum Beispiel durch Frühehe (Indien), unter Kontrolle gehalten oder auf unschädliche Bahnen abgelenkt werden muß,[14] etwa: Knabenliebe (Griechenland) oder Adressierung der Passion gerade an die verheiratete und dadurch gesellschaftlich unerreichbare Frau (Mittelalter). Die philosophischen und religiösen Generalisierungen, die die Grenzen der einzelnen Gesellschaft und damit das Liebesgebot auf die Menschheit schlechthin auszuweiten trachten, behalten einen utopischen Zug. Der evolutionäre Erfolg lag in der entgegengesetzten Richtung: nicht in einem Universellwerden, sondern in der Einschränkung und Mobilisierung des Mediums; nicht darin, daß man alle liebt, sondern darin, daß man einen beliebigen, ausgewählten anderen Menschen liebt. Die das abdeckende Konzeption der Liebe wird seit dem ausgehenden

Mittelalter geschaffen und setzt sich in der Neuzeit durch.

Sie deutet Liebe als amour passion, als Leidenschaft. Vordem explizit ausgegrenzt und als menschliche Unvermeidlichkeit ohne gesellschaftliche Funktion behandelt,[15] wird Passion nun zum führenden Merkmal. Mit ihr verbinden sich in der heute geläufigen, ja fast schon trivialisierten Vorstellung Sinnmomente wie: willenloses Ergriffensein und krankheitsähnliche Besessenheit, der man ausgeliefert ist, Zufälligkeit der Begegnung und schicksalhafte Bestimmung füreinander, unerwartbares (und doch sehnlichst erwartetes) Wunder, das einem irgendwann im Leben widerfährt, Unerklärlichkeit des Geschehens,[16] Impulsivität und ewige Dauer, Zwangshaftigkeit und höchste Freiheit der Selbstverwirklichung – all dies Sinnbestimmungen, die eine positive oder negative Bewertung offenlassen, sich widersprechen können und für sehr verschiedenartige Situationen ein Deutungsschema bereithalten,[17] die aber in einem Grundzug konvergieren: daß der Mensch sich in Angelegenheiten der Liebe von gesellschaftlicher und moralischer Verantwortung freizeichnet. »Passion« meint einen Zustand, in dem man sich passiv leidend, nicht aktiv wirkend vorfindet. Das schließt Rechenschaftspflicht für passioniertes Handeln an sich noch nicht aus. Passion ist keine Entschuldigung, wenn ein Jäger eine Kuh erschießt. Die Lage wendet sich jedoch, wenn Passion als Institution Anerkennung findet und als conditio sozialer Systeme erwartet, ja gefordert wird – wenn erwartet wird, daß man einer Passion verfällt, für die man nichts kann, bevor man heiratet. Dann wird die Symbolik der Passion verwendet, um institutionalisierte Freiheiten zu decken, das heißt abzuschirmen und zugleich zu verdecken. Passion wird dann zur institutionalisierten Freiheit, die nicht als solche gerechtfertigt zu werden braucht. Freiheit wird als Zwang getarnt.

Daran und an den Begleitvorstellungen des romantischen Liebesmythos läßt sich ablesen, daß die Institutionalisierung der Liebe als Passion die gesellschaftliche Ausdifferenzierung von Intimbeziehungen symbolisiert. Das wichtigste Anzeichen dafür neben dem Abstreifen von Verantwortlichkeiten ist der Umstand, daß Indifferenzen und

Irrelevanzen explizit legitimiert werden: daß bei wahrer, echter, tiefer Liebe – auf die Beweisfragen kommen wir zurück – es weder auf Stand noch auf Geld, weder auf Reputation noch auf Familie noch auf sonstige ältere Loyalitäten ankommen kann. Das Zerstörerische daran wird gesehen – und geradezu mitgenossen. Das große literarische Thema der standeswidrigen oder im weitesten Sinne unvernünftigen Liebe wandelt sich vom Utopischen ins Komische, ins Tragische und schließlich ins Triviale einer Institution, deren Dysfunktionen fest etabliert sind und bewältigt werden können.

Trotz aller mittelalterlichen Wurzeln der »romantischen Liebe« ist ihre *Institutionalisierung als Ehegrundlage* eine entschieden neuzeitliche Errungenschaft, in den ersten programmatischen Postulierungen dem Sentimentalismus des 18. Jahrhunderts zu danken und dort Bestandteil bürgerlicher Kritik aristokratischer Immoral. Erst damit wird dieses Konzept der Liebe aus den Beliebigkeiten des rein individuellen Erlebens herausgenommen und in sozialen Erwartungen festgemacht. Es erhält den Charakter einer Zumutung – einer Zumutung für die, die passioniertes Lieben anderer miterleben und billigen müssen; einer Zumutung vor allem aber auch für die, die sich verlieben müssen, bevor sie heiraten.[18] Passioniertes Lieben wird zur Erwartung, auf die hin gelernt und erzogen wird, ein sozialer Typus, der schon aus Gründen hinreichender Verständigung nur begrenzte Modifikationen zuläßt.

Die Ausdifferenzierung und Typifikation eines entsprechenden Verhaltensmusters ermöglicht funktionale Spezifikation. Intimbeziehungen können, als Passion begriffen, dargestellt und gerechtfertigt, die Funktion des Kommunikationsmediums Liebe in funktionaler Verselbständigung und dadurch um so wirksamer erfüllen. Darauf beruht die gesellschaftlich geforderte Leistungssteigerung dieses Mediums. Die Passionierung der Liebe entspricht zunehmender gesellschaftlicher Komplexität. Unter der Bedingung hoher Umweltkomplexität kann Liebe nicht länger auf andere Funktionen Rücksicht nehmen, die selbst spezifischer, abstrakter, leistungsstärker institutionalisiert werden müssen. Die traditionelle Kongruenz von Liebe und Gesellschaft, ja Liebe und Menschheit, und die funktional-diffusen Verschmelzungen von Liebe und Recht und Liebe und Nutzen, wie sie sich in der griechischen Vorstellungswelt finden und aus ihr überliefert werden, müssen gekappt werden. Damit wird Liebe von all den Fremdfunktionen entlastet, die sie mittrug – vor allem von Funktionen der Stützung der Moral und des Rechts, der politischen Herrschaft und des wirtschaftlichen Bedarfsausgleichs. Sie wird vor den Verflachungen bewahrt, die fast unvermeidlich sind, wenn man sich auf Konsens mit jedermann einstellen muß. Statt dessen wird im Gedanklichen wie in der allgemein institutionalisierten Erwartung die Konzentration auf jeweils einen anderen Menschen postuliert.

In dem Maße, als diese Vorstellung sich realisieren läßt, heißt Liebe als Passion Freiheit der Partnerwahl und, soweit die Familie auf Liebe gegründet sein soll, Freiheit der Gattenwahl. Diese Freiheiten haben einen Bezug zur Komplexität der Gesellschaft und entwickeln sich mit ihr. Die konkret oder doch gruppenmäßig vorbestimmte (präskriptive) Gattenwahl mancher archaischer, z.B. der australischen, Gesellschaften wird zunächst durch institutionalisierte Präferenzen[19] und durch familiär »arrangierte« Heiraten abgelöst. In solchen Fällen sind die sozialen Kontrollen der Gattenwahl schon gelockert, aber strukturell bzw. prozeßmäßig noch institutionalisiert. Am Ende dieser Entwicklung finden wir in hochkomplexen modernen Gesellschaften die Liebesheirat.[20] Sie ist »formal frei« institutionalisiert wie Arbeit, Vertrag und Organisation. Das heißt nicht, daß alle sozialen Einflüsse auf die Partnerwahl verschwunden wären – schon ein Blick in die Statistik zeigt, daß schichtenhomogene Gattenwahl dominiert –, wohl aber, daß die Kontrollen in der Form selbstauferlegter Rücksichten beim Sich-Verlieben, in der Form vorsorglicher elterlicher Kontaktbahnung oder Kontaktverhütung oder auf ähnliche, von der institutionellen Vorschrift der Liebe abweichende Weise geübt werden müssen.[21] Daß solchen Steuerungen die Legitimation, ja die öffentliche Darstellbarkeit und das Bekenntnis zum Zweck entzogen wird, zeigt an, daß die Gesellschaft strukturell von ihnen unabhängig geworden ist und das Risiko beliebiger Heiraten tragen kann.

Man kann in der Freigabe des Lebens und Liebens nach eigenem Gefühl einen Selbstzweck sehen. Das hieße, Liebe und Selbstverwirklichung in der Liebe als Wert nehmen. Damit wird die soziologisch mögliche Erkenntnis verkürzt. Partnerwahl aufgrund von individueller Passion hat über diese vordergründige Wertfixierung hinaus, und gerade durch sie, angebbare gesellschaftliche Funktionen. Sie erhöht die Realisierungschancen des Kommunikationsmediums Liebe. In sehr komplexen, stark differenzierten Gesellschaften mit ausgeprägter Persönlichkeitsindividualisierung und sehr unterschiedlichen Weisen der Lebensführung auch innerhalb der Gesellschaftsschichten kann nur durch hohe Kontaktmobilität erreicht werden, daß Partner, die Intimbeziehungen bilden können, zueinander finden.[22]

Institutionelle Designation würde unter solchen Umständen Liebe extrem unwahrscheinlich werden lassen, das Niederlegen der institutionellen Schranken und die Delegation der Auswahl auf das Individuum erhöht zumindest die Chancen. Die publizierten Idole der Liebe, vor allem äußerliche Anhaltspunkte wie körperliche Schönheit oder Attraktivität, bilden dafür generalisierte Suchmuster. Die Herstellung von Konsens über lebensnahe Weltaspekte und konkrete Identitäten kann so, jedenfalls zum Teil, durch die Rekrutierungsweise vorbereitet werden und kann erst dann der elementaren Interaktion und personalen Erwartungsbildung überlassen bleiben.

Ausdifferenzierung, funktionale Spezifikation und Mobilisierung der Liebe für Selektion von Partnern und Themen bringen schließlich eine sich selbst verstärkende Prozeßform hervor, die wir Reflexivität nennen.[23] Liebe wird zum reflexiven Mechanismus und auch in dieser Hinsicht zu einer voraussetzungsvollen, riskierten und störungsanfälligen Institution. Sie wird auf sich selbst angewandt, ehe sie sich ein Objekt wählt. Man liebt das Lieben und deshalb einen Menschen, den man lieben kann. Dabei ist die Beziehung dieser Reflexivität zur Ausdifferenzierung der Liebe doppelseitig zu sehen: Einerseits leistet Reflexivität jene höhere Selektivität, die bei Ausdifferenzierung von auf Liebe gegründeten Dauersystemen (Ehe-Familien) notwendig ist. Andererseits verhilft Ausdifferenzierung dem sehr störanfälligen reflexiven Mechanismus dazu, bei sich selbst zu bleiben, und schirmt ihn ab gegen Interferenz durch der Art nach andere Mechanismen – etwa Kauf der Liebe, denkende Besinnung auf Liebe, Zwang zur Liebe.[24]

In der literarischen Überlieferung wird diese Reflexivität des Liebens erst in der Neuzeit, in vollem Sinne erst seit dem 18. Jahrhundert registriert und legitimiert. Sie setzt jenen Strukturwandel zur Ausdifferenzierung, Spezifikation und Mobilisierung in Grundzügen voraus und wird erst möglich, nachdem diese Voraussetzungen wenn nicht im Institutionellen, so doch in den Vorstellungen von Liebe etabliert sind. Die scholastische Formel des amor amicitiae bezeichnete noch kein Reflexivverhältnis, sondern eine Art der Liebe. Und auch die daran anknüpfenden theologischen Diskussionen des pur amour in der frühen Neuzeit, die schon ein subjektives Reflexionsverhältnis cartesischen Stils durchspielten, hatten mit Reflexion zunächst nur Reflexivität des Denkens gemeint, hatten sich ihr Thema als das einer *denkenden* Besinnung auf die eigene Liebe gestellt – und waren deshalb lediglich auf das Problem des *Interesses* an der Liebe gestoßen.[25] Bald darauf setzt sich eine andersartige Einstellung durch, die nicht mehr das Denken des Fühlens, sondern das Fühlen des Fühlens proklamiert und zu genießen beginnt. »Liebe um Liebe« wird das Höchste, und ihr eindrucksvollster Prophet wird Jean Paul.[26]

Reflexivität des Liebens ist mehr als ein einfaches Mitfungieren des Ichbewußtseins in der Liebe, mehr auch als das bloße Bewußtsein der Tatsache, daß man liebt und geliebt wird. Es gehört dazu, daß ein entsprechendes Gefühl gefühlsmäßig bejaht und gesucht wird; daß man sich als Liebenden und Geliebten liebt und auch den anderen als Liebenden und Geliebten liebt, also gerade sein Gefühl auf diese Koinzidenz der Gefühle richtet. Die Liebe richtet sich auf ein Ich und ein Du, *sofern* sie beide in der Beziehung der Liebe stehen, das heißt eine solche Beziehung sich wechselseitig ermöglichen – und nicht, weil sie gut sind, oder schön sind, oder edel sind, oder reich sind.

Reflexivität des Liebens ist eine Möglichkeit für alle Talente und alle Situationen – keineswegs eine esoterische Angelegenheit, die nur wenigen großen Liebenden vorbehalten bleibt. Sie kann,

braucht aber nicht auf eine Verstärkung des Gefühls hinauszulaufen. Was sie verstärkt, ist die Genußfähigkeit des Gefühls und auch die Möglichkeit, am Gefühl zu leiden. Man kann jetzt Liebe schon lieben, ohne bereits einen Partner zu haben oder nur einen solchen, der nicht wiederliebt. Im übrigen ist für den Normalfall eine mehr oder weniger klischeeförmige Außensteuerung dieses auf Liebe gerichteten Liebens bezeichnend. Die Liebe mag dann zunächst auf ein generalisiertes Suchmuster gerichtet werden, das eine Erfüllung erleichtern, einer gefühlsmäßig vertieften Erfüllung aber auch in die Quere kommen kann. Setzt nicht »Liebe auf den ersten Blick« voraus, daß man schon vor dem ersten Blick verliebt war?
Die Funktion der Reflexivität des Liebens kann nach all dem nicht in der Intensivierung oder Stabilisierung des Gefühls der Liebe liegen. Sie bezieht sich auf die Steuerung der Selektivität des Liebens. Sie sucht zu gewährleisten, daß die Gefühlsbildung in ihrer gesellschaftlich jetzt unvermeidlich hohen Selektivität auf eine ihr adäquate Weise gesteuert wird, nämlich durch Gefühl. Daran ist ablesbar, daß es in dieser Umstrukturierung

des Liebens letztlich nicht um das individuelle Gefühl geht, sondern um das Kommunikationsmedium Liebe, das veränderten gesellschaftlichen Bedingungen angepaßt werden muß. Nur wenn man sich aufgrund des Liebens von Liebe verliebt, ist zu erwarten, daß das sich damit bildende System Liebe als Kommunikationsmedium verwendet – unter anderem deshalb, weil nur so die Gefühlslage als Einheit empfunden und das Selektionsbewußtsein latent bleiben oder wieder verdrängt werden kann.

III.

Mit der Passionierung der Liebe erhält auch die sexuelle Beziehung zwischen Liebenden einen veränderten Stellenwert.[27] Sie färbt Begriff und Erleben der Liebe in neuer und entschiedenerer Weise. In scharfer Einschränkung dessen, was in der Philia-amicitia-Tradition gemeint war, wird Liebe im allgemeinen Verständnis zurückgeführt auf Beziehungen, die im Geschlechtsakt ihre Sinnerfüllung finden. Die Begriffe Intimität und

Freundschaft nehmen einen entsprechenden Nebensinn, einen Verdacht auf Geschlechtlichkeit an, sofern nach der Art der Partner Sexualität eine Rolle spielen kann. Das heißt natürlich nicht, daß Sexualität erst jetzt wichtig wird oder mehr Bedeutung gewinnt als zuvor, wohl aber, daß sie erst jetzt in ein spezifisches, ausdifferenziertes Kommunikationsmedium eingebaut wird und damit eine gesellschaftliche Funktion übernimmt, die weit über die Funktion der Nachwuchserzeugung hinausgeht.

Sexualität gewinnt für die Liebe eine Basisfunktion, die vergleichbar ist der Funktion, die physischer Zwang für politische Macht, die intersubjektiv zwingende Gewißheit der Wahrnehmung für wissenschaftliche Wahrheit, die Deckung in Gold, Devisen oder staatlichen Entscheidungskompetenzen als Garantie der Befriedigung von Bedürfnissen für eine Geldwährung erfüllt. Der Vergleich läßt die wichtigen sachlichen Unterschiede der Kommunikationsmedien außer acht und erstreckt sich auf die durchgehende Notwendigkeit von Gewißheitsverankerungen, von »real assets« bei allen generalisierten Medien.[28]

In all diesen Fällen – in der Sexualität, bei physischer Gewalt, bei Wahrnehmungen und bei der Sicherstellung der Befriedigung letztlich körperlicher Bedürfnisse – scheint das Hinabreichen in die organische Sphäre wesentlich zu sein. Eine so fundierte Kommunikation kann den Organismus gleichsam mitüberzeugen. Dieser Bezug muß daher in den Kommunikationsmedien mitinstitutionalisiert werden. Insofern handelt es sich nicht lediglich um Herstellung von Meinungskonsens in der Sinnsphäre, sondern um symbiotische Regelungen, die eine Intensität des Bezugs zum anderen gewährleisten, die ein hohes Maß von Dissens, von Überziehen realer Konsenschancen tragen kann.[29] Die sinnhaft-symbolische Generalisierbarkeit der Medien beruht darauf, daß sie nicht lediglich aufgrund von (und deshalb in den Grenzen von) realem Konsens operieren.
Darauf bezieht sich der neuartige Stellenwert jener Basismechanismen im institutionellen Gefüge. Sie können nicht länger als notwendige Übel oder als irdische Last gesehen und Idealen gegenübergestellt werden. Sie werden in den Dienst eines Mediums genommen und damit auf

eine soziale Funktion gebracht, die ihre Aufwertung erlaubt. Im Zusammenhang damit müssen gewisse Formen der Selbstbefriedigung ausgeschlossen – und zwar moralisch ausgeschlossen werden. Das ist für erotische Selbstbefriedigung offensichtlich, gilt aber entsprechend auch für die übrigen Medien: für gewaltsame Selbsthilfe, für die nur individuell-evidente Intuition der Wahrheit (d. i. »Fanatismus« im Sprachgebrauch der Aufklärungszeit), für die wirtschaftliche Autarkie des einzelnen bzw., funktional äquivalent, für Geldfälschung. Solche Praktiken untergrüben die Vermittlungsfunktion des Mediums durch Verselbständigung des Basismechanismus.

Im Falle sexuell fundierter Liebe nimmt das Verhältnis von symbiotischer Basis und symbolischer Generalisierung besondere Züge an, die sich näher beschreiben lassen. Vor allem macht diese Begründung plausibel die Unmittelbarkeit und Nähe der Beziehung und ihre Beschränkung auf einen Partner, die von daher als Dauergebot in das Idealbild der Liebe aufgenommen wird. Außerdem ist der geschlechtlichen Beziehung eigen, daß gewisse Funktionen unsichtbar für Außenstehende, also ohne Darstellungszwang, erfüllt und in subtiler Weise verfeinert werden können: Geben und Nehmen,[30] Belohnen und Bestrafen, Bestätigen und Korrigieren können sich zwar auswirken, lassen sich aber schwer feststellen. Aspekte und Intentionen des Tauschens, Sanktionierens und Lernens sind vorhanden und erfüllen ihre Funktion, lassen sich aber nicht auseinanderziehen, individuell zurechnen und zur Rede stellen. Sie verschmelzen ins Ununterscheidbare. Das verhindert, von Extremfällen abgesehen, eine genaue Bilanzierung von Vorteilen und Nachteilen, einen Vergleich mit anderen Lagen und eine Entwicklung der Beziehung ins Asymmetrische eines Leistungs-, Rang- oder Interessengefälles. Auch relativ unbalancierte Beziehungen können dank dieser Diffusität des sexuellen Kontaktes noch als gleich und als unvergleichbar erlebt werden. Deshalb kann auch in einem Maße, das sonst kaum erreichbar ist, unterstellt und erwartet werden, daß das eigene Erleben auch das des Partners ist. Dazu kommt, daß die nichtsprachliche Kommunikation der körperlichen Berührung einen eigentümlichen nichtlogischen Interpretationshorizont für sprachliche Mitteilungen eröffnet.[31] Sie bietet die Möglichkeit eines Unterlaufens der Sprache, einer konkretisierenden Interpretation des gesprochenen Wortes auf das hin, was sich an ihm von anderen und der ihm zugänglichen Welt zeigt. Man kann in den Kommunikationsweisen der Liebe Unsagbares zum Ausdruck bringen, Gesagtes verstärken oder abschwächen, bagatellisieren oder durchkreuzen, kann Mißverständnisse ausgleichen und Entgleisungen durch einen Wechsel der Kommunikationsebene korrigieren.

Das Verhältnis des Mediums zu seinem Basismechanismus läßt sich als *Generalisierung* kennzeichnen.[32] Damit ist gemeint, daß das Medium die Reichweite seines Basismechanismus ausdehnt, dessen Motivierungspotential überzieht. Vom Handeln aus gesehen erscheint Liebe als symbolisch generalisiertes, wertmäßig verselbständigtes Zwischenziel auf dem Wege zur geschlechtlichen Befriedigung (mit der Möglichkeit der Zweck/Mittel-Umkehrung und der Verwendung des Geschlechtsaktes als Mittel zum Beweis der Liebe). Doch bleibt diese Betrachtungsweise in der Vorstellung eines kausalen oder instrumentellen Arrangements (welchen auch immer) unangemessen, weil zu eng. Die Generalisierung muß in ihren Systemfunktionen geklärt werden.[33] Zeitlich gesehen liegt die Generalisierungsleistung der Liebe in der Überbrückung von Intervallen zwischen sexuell motivierten Kontakten. Man liebt kontinuierlich, hat aber, besonders als Mann, zwischendurch anderes zu tun. Der Partner kann auf Rückkehr vertrauen. Dieses Vertrauen gehört im Verhältnis von Mutter und Kind zu den ersten Lernnotwendigkeiten menschlichen Lebens und bildet eine wesentliche Quelle aller Generalisierungsleistungen der Kultur.[34] Im Bereich der auf Geschlechtlichkeit bezogenen Liebe nimmt diese zeitliche Generalisierung zwei weitere Züge an: Einmal ermöglicht Liebe Indifferenz, und zwar bis ins Physiologische reichende Indifferenz gegenüber attraktiven Angeboten von anderer Seite, hilft also das Problem der sexuellen Konkurrenz lösen oder doch entschärfen. Zum anderen füllt Liebe Wartezeiten mit Erwartung. Man hat eine wesentliche Funktion des »romantischen« Liebeskomplexes darin gesehen, für die Versagung des vorehelichen Geschlechtsverkehrs zu entschädigen und ein moralisches Verbot gleichsam in eine positive Funktion umzukehren.[35] Die Erwartung der Erfüllung wird aufgestaut und als solche schon genossen. Durch Vorwegnahme wird die Liebe reflexiv, was ohne Bezug auf kontinuierlich-lebendige Sexualität kaum zu motivieren wäre. In der Ungewißheit des Partners kann reflexive Liebe sich unkorrigiert übersteigern und idealisieren und vermag dann den Partner, wenn er gefunden ist, mit hochgespannten Erwartungen, mit einem idealisierten Selbst zu konfrontieren, dem er um der Liebe willen nachzuleben hat. Auf diese Weise wird trotz Abschwächung großfamiliärer, wirtschaftlicher oder anderer gesellschaftlicher Motive die Bereitschaft zur Eheschließung erhalten – freilich unter utopischen Vorzeichen.[36] Daran ist bemerkenswert, daß und wie sich zeitdimensionale Schwierigkeiten (Kontinuitätsprobleme) in sachliche Generalisierungsleistungen umsetzen lassen, die dann allerdings Folgeprobleme eigener Art nach sich ziehen.

Auch die umgekehrte Beziehung: daß die sachliche Generalisierung die zeitliche stützt, läßt sich feststellen. Als generalisiertes Grundthema einer sozialen Beziehung macht Liebe es möglich, daß Intimsysteme, insbesondere die auf Liebe gegründete Familie, eine *Differenz von Beziehungsebenen* einrichten und ins Bewußtsein bringen können: Die Liebe selbst und ihr Fortbestand wird von den konkreten täglichen Interaktionen unterschieden. Diese Differenzierung erleichtert die Kontrolle sehr komplexer Kausalverläufe dadurch, daß sie Ebenen auseinanderbricht, auf denen Wirkungen zu beachten sind bzw. ignoriert werden können. Damit wird eine gewisse Immunisierung gegen kleine Ereignisse, also zeitliche Stabilität erreicht. Man braucht und darf nicht fortwährend Beweise der Liebe fordern, nicht in jedem Vorfall das Ganze auf dem Spiel sehen. Man darf nicht mit Entzug der Liebe drohen und damit den gefährlichen Schluß von der Interaktion auf das System ankündigen. Das Argument: Wenn Du das tust, liebst Du mich nicht, hat deshalb eine eigentümliche Sprengkraft, weil es jene Differenzierung der Kontaktebenen in Frage stellt und überdies den Schluß nahelegt, daß der so Argumentierende selbst nicht liebt. Wie schwer eine solche Abhebung der Liebe aus dem Alltag gerade

bei Intensität des Gefühls und bei Konkretheit der in ihm sich konstituierenden Weltsicht durchzuhalten ist, läßt sich an der Verbreitung von Eifersucht ablesen, der genau dies mißlingt.
In sozialer Hinsicht ist zu beachten, daß Generalisierung nicht als Ausdehnung der Liebe auf möglichst viele oder gar beliebige Partner verstanden werden darf, sondern im Gegenteil durch individuellen Zuschnitt geleistet wird. Ein Liebender ist, nach Shaws bekannter Definition, jemand, der den Unterschied zwischen einer Frau und anderen Frauen übertreibt – also gerade nicht klassifikatorisch generalisiert. Generalisierung kann nicht nur in der Form der kategorial-gattungsmäßigen Verallgemeinerung erfolgen, sondern auch in den Formen der Spezifikation und der Indifferenz.[37] Durch Individualisierung der Liebe als einer Beziehung zwischen persönlich bestimmten Geschlechtspartnern wird Indifferenz erreicht sowohl gegenüber der sexuellen Potenz anderer als auch gegenüber dem Meinen und Urteilen anderer. Nur die Liebenden selbst können ihre Liebe verstehen – ein weithin akzeptierter Topos der Liebesmythologie –, und sie geben ihr Exklusi-

vität der Praxis ebenso wie des Verständnisses. Gerade an dieser Individualisierung und Absonderung entzündet sich die Leidenschaftlichkeit der Liebe.[38] Das Allgemeine liegt darin, daß solche Liebe mit sehr verschiedenen, wechselnden sozialen Umwelten und mit verschiedenen und diskrepanten Beurteilungen durch Außenstehende vereinbar ist – also nicht nur in der Partnerwahl, sondern auch in ihrem Schicksal Mobilität ermöglicht. Die Institutionalisierung der Liebe bedeutet unter diesem Aspekt gesamtgesellschaftlichen – also weitgehend fiktiven, aber unterstellbaren – Konsens dafür, daß die Liebenden sich nicht um Konsens ihrer aktuellen Umwelt zu kümmern brauchen: Sie können Konsens für Indifferenz gegen Konsens unterstellen – auch dies eine Erwartungsstruktur, deren evolutionäre Unwahrscheinlichkeit in die Augen springt. Daß hier eine auf der Ebene des Basismechanismus der Sexualität plausible Forderung – Nichtbeteiligung Dritter! – auf die Liebe als Kommunikationsmedium übertragen wird, bestätigt unsere Hypothese, daß die sexuelle Fundierung der Passion für das Medium der Liebe wesentliche Grundlage geworden ist.

Andererseits darf die Tragweite der Sexualität, vor allem als Kausalfaktor, nicht überschätzt werden. Es liegt auf der Hand, daß sie mit den Generalisierungsleistungen der Liebe kompatibel sein muß, sie aber nicht selbst vollbringt, sondern dafür auf psychische und soziale Mechanismen angewiesen bleibt. Man muß sich sogar fragen, ob natürliche Sexualität (sofern es das überhaupt gibt) ausreicht, um die Einleitung einer Liebesbeziehung zu motivieren, wenn dabei kulturelle oder interessenmäßige Hindernisse zu nehmen sind. Es scheint, daß dazu *zusätzliche* Erregungsquellen nötig sind, die sich nicht auf das bloße Vermitteln oder Inaussichtstellen sexueller Befriedigung reduzieren lassen. Sicher lagen solche Anlässe zur Steigerung organischer und psychischer Erlebnisbereitschaften früher auch im Bewußtsein gemeinsamen Abweichens, in der anfänglichen oder gar durchgehenden Illegitimität der Passion. An dessen Stelle findet man heute in weitem Umfange kommerziell organisierte Erregungen, die, durch Schrift, Bild, Ton oder Aktionsgelegenheiten vermittelt, den Vorteil haben, besser isolierbar und mit der Lebensführung im übrigen besser synchronisierbar zu sein.[39] Auch darin liegen soziale Leistungen, die in den Bedingungen ihrer zeitlichen Plazierung, ihrer möglichen Sinnbezüge und ihren Kommunikations- und Konsenschancen systemabhängig sind. Das bedürfte weiterer Erforschung.

IV.

Die Verselbständigung und funktionale Spezifikation von Kommunikationsmedien kann nicht allein auf der Ebene von Prozessen (durch Ordnung von Ereignis*folgen*) institutionalisiert werden. Sie setzt die Bildung entsprechender Sozialsysteme voraus. Macht artikuliert sich erst im politischen System als ein Medium besonderer Art, Wahrheit erst in der Wissenschaft, Geld erst in der Wirtschaft, und Kunst leidet daran, daß die Ausdifferenzierung eines auf sie bezogenen Sozialsystems in besonderer Weise problematisch ist. In all diesen Hinsichten, und so auch im Falle der Liebe, ist ein beträchtliches Maß an funktionaler Differenzierung des Gesellschaftssystems evolutionäre

Voraussetzung für die Eigenständigkeit eines Mediums. Immer bleibt zwar das einzelne Medium auch außerhalb des jeweiligen Teilsystems, das heißt gesamtgesellschaftlich und für andere Teilsysteme relevant: Auch die Politik braucht Wahrheiten, auch die Wirtschaft bildet Macht, auch in den Kleingruppen der Arbeitswelt verdichten sich Sympathiebeziehungen. Aber die Leistungssteigerung im einzelnen Medium, die volle Ausnutzung seines besonderen Stils der Übertragung von Selektionsleistungen, gelingt nur Teilsystemen der Gesellschaft, deren Struktur auf diese Funktion zugeschnitten ist.

Funktionaler Spezifikation von Strukturen und Prozessen sind jedoch, weil sie Systembildung erfordert, Schranken gesetzt.[40] Diese Schranken müssen wir für den Fall der auf passionierte Liebe gegründeten Intimbeziehungen näher bestimmen. Auf geschlechtliche Beziehungen hinauslaufende, passionierte Liebe findet ein dauerfähiges System in der Gründung einer Familie, und zwar einer Familie, die auf der monogamen Ehe beruht,[41] welche ihrerseits als auf Liebe gegründet erwartet und dargestellt wird. Passion aber ist eine nicht

Ehe

zu verantwortende, zufällige Verfassung, deren Eintreten ebensowenig beherrscht werden kann wie ihr Erlöschen – ein höchst labiles Systemprinzip. Die Symbolik der passionierten Liebe, die die Ausdifferenzierung und funktionale Spezifikation des Mediums trägt, ist nicht ohne weiteres auch gut für jenes zweite Erfordernis: für Systemwerden und Systemerhaltung entsprechender Interaktionen. Die Widersprüche im institutionalisierten Konzept der Liebe, die wir oben[42] bereits notiert hatten – die Widersprüche zwischen Zwangsläufigkeit und Freiheit, Impulsivität und Dauer – haben in diesem Dilemma ihren Grund: Sie übersetzen das Problem funktionsspezifischer Systembildung in eine ambivalente Wertorientierung und wälzen es damit auf das Verhalten ab.

Daß romantisch übersteigerte Liebe die Familie stören, wenn nicht zerstören kann, ist ein Thema mannigfacher Erörterungen, das zunächst für die Großfamilie, dann auch für die Kleinfamilie, zunächst für das Liebesverhältnis mit Außenstehenden nach Gründung einer Familie,[43] dann auch für die auf Liebe gegründete Familie[44] entdeckt worden ist. Man muß dabei sehen, daß die alten Probleme des Ausredens einer unvernünftig gewünschten Heirat und des Ehebruchs sich beträchtlich verschärfen, wenn für die Ehe Liebe und daher auch für die Liebe Ehe gefordert wird. Dann gefährdet ein Divergieren, und vor allem ein offensichtliches Divergieren von Liebe und Ehe, das System in seinen Grundlagen. Als Strukturprinzip eines sozialen Systems steigert Liebe Chancen und Risiken miteinander.[45] Die konstitutionelle Riskiertheit solcher Ehen ist inzwischen bewußt geworden. Die Vorstellung, Ehe und Familie würden nun an ein fluktuierendes, unbeherrschbar aufquellendes und wieder versiegendes Gefühl gebunden und dazu bestimmt, dessen Schicksal zu teilen, hat denn auch die ärgsten Befürchtungen erweckt.

Das war jedoch, ähnlich und aus analogen Gründen wie angesichts der Einführung des allgemeinen Wahlrechts, falscher, zumindest übertriebener Alarm. Man konnte sich nicht vorstellen, daß neue, unausprobierte Freiheiten sich selbst stabilisieren würden. Die Tatsachen zeigen eine nach wie vor hohe Stabilität von Ehen. Unbestreitbar sind die Scheidungsquoten in den letzten Jahrzehnten aus mehreren Gründen erheblich gestiegen,[46] erreichen aber weder ein gesellschaftlich bedrohliches, in den Folgen nicht zu bewältigendes noch ein im interkulturellen Vergleich ungewöhnliches Maß.[47] Dieser Befund läßt darauf schließen, daß sich in einer aus Liebe geschlossenen Ehe stabilisierende Mechanismen entwickeln, die die Passion überdauern und sie in ein geregeltes Leben überleiten.

Da wir weder Ausmaß noch Formen der Desorganisation bestehender Familien empirisch zuverlässig überblicken können, bleiben Annahmen darüber spekulativ. Man darf aber vermuten, daß ein System von Intimbeziehungen, das sich durch Partnerwahl und Verständigung in Liebe eine eigene, konkrete Welt gebaut hat, dann rückläufig durch diese private Welt gehalten wird und der Passion entraten kann. Unmerklich wandelt sich Leidenschaft in Geschichte und wird zugleich durch Geschichte ersetzt. Die impulsive Attraktion, die zur Übernahme von Selektionsleistungen des anderen motivierte, wird abgelöst durch das Schon-verständigt-sein, durch das selbstverständliche Mitfungieren des anderen im laufenden

Urteilen über die Fragen der täglichen Lebensführung. Selbst einschneidende Änderungen der Lebensführung können in der Absicht der Fortsetzung dieser Welt, der Welt, in der Ich und Du dieselben bleiben können, gemeinsam vollzogen werden. Die passionierte Liebe geht in etablierte Liebe über.

Ein solcher Wandel ist kein reines »Naturgesetz der Liebe«, sondern hängt von der Ausdifferenzierung dieses Mediums und damit von den erörterten institutionellen Voraussetzungen ab. Er setzt nämlich voraus, daß die Gesellschaft den Liebenden genügend Systemkomplexität überläßt, durch deren selektive Behandlung sich eine Systemgeschichte ablagert, die sie als eigene empfinden und von der allgemeinen Weltgeschichte unterscheiden können; und daß genügend Weltkomplexität vorgegeben ist, so daß sich dagegen eine personalisierte Nahwelt absetzen kann, aus der der eine den anderen anblickt. (Daß es mehrere Arten von Hautcreme gibt, ist Voraussetzung dafür, daß sie diese, er jene bevorzugt, und beide Cremes sich nebeneinander am gewohnten Platz im Badezimmer finden – ihn an sie und sie an ihn erinnernd.) Eine so konkret personalisierte Nahwelt gewinnt zugleich motivierende Kraft zur Ergänzung und Korrektur, zur Bewahrung und Anpassung, weil man sich selbst in ihr und in den Erwartungen des anderen persönlich unverwechselbar wiederfindet. Trennung würde dann insoweit immer auch Selbständerung und Verlust oder Umdeutung der eigenen Geschichte bedeuten.

All das schließt Ehekonflikte keineswegs aus, gibt ihnen aber einen bestimmten Schwerpunkt, der nicht auf der Ebene des unmittelbaren Dissenses über Welt, sondern auf der Ebene des Erwartens von Erwartungen liegt.[48] Von dieser Ebene aus kann der faktisch vorhandene Konsens *erfolgreich überschätzt*, also generalisiert werden.[49] Relevant wird ein Streit in solchen Fällen nicht in der Frage, was ist, sondern in der Frage, welche Erwartungen man in bezug auf die Erwartungen des anderen hegen kann. Erst auf dieser Ebene personaler Reflexivität der Bewußtheit der Bewußtheit des anderen wird ein Konflikt zum Sprengstoff, weil er hier den Angelpunkt trifft, von dem aus die Welt des Systems als gemeinsam-besondere konstituiert ist.[50] Meinungsverschiedenheiten über die Welt selbst dienen nur als Symptome oder als Symbole oder als Waffen für jenen tieferliegenden Konflikt, der die Liebe ruiniert. Daraus ist ableitbar, daß in guten Ehen Meinungskonflikte, die die Ebene des wechselseitigen Erwartens der Erwartungen des anderen belasten könnten, entweder unterdrückt oder auf der Ebene des Erwartens solcher Erwartungserwartungen, also mit Hilfe von dreistufiger Reflexivität, umsteuert werden müssen. Daß damit auch ein hochentwickeltes psychisches Leistungsvermögen, eine differenzierte soziale Sensibilität und ein entsprechend komplexes personales System der Erlebnisverarbeitung vorausgesetzt ist, liegt auf der Hand.[51] Hier mag einer der Gründe dafür zu finden sein, »... daß die Ehe mehr latente Geistesstörungen zutage fördert als der Krieg«.[52] Denn die moderne, auf Liebe gegründete Familie scheint zunehmend weniger in der Lage zu sein, psychisch defekte Mitglieder zu ertragen, und trägt daher wesentlich mit dazu bei, Grenzfälle in eine psychiatrische Behandlung hineinzudefinieren.

Diese Überlegungen führen in Zweifel, ob die *kulturelle* Definition als Passion Liebe *sachlich* adäquat beschreibt. Die Funktionalität einer solchen Etikettierung steht außer Frage, erfordert aber nicht, daß das so etikettierte Medium in *seiner* Funktionsweise dem Etikett entspricht. Unsere Analysen haben zugleich die Funktionsebene des Kommunikationsmediums Liebe präziser erfaßt. Sie lassen deutlicher hervortreten, weshalb Liebe auf Gegenliebe angewiesen ist und als Lieben des Liebens selbst reflexiv wird. Um sich als Liebenden nicht nur wissen, sondern auch fühlen zu können, muß man sich mit den Augen des anderen als Liebenden sehen und gerade das lieben, als Liebender in Interaktion mit dem Geliebten zu treten. Um dessentwillen konstituiert man eine personal konkretisierte Welt, die solche Interaktion ermöglicht. Die Passion des anderen mag dieser Interaktion die Wege bahnen, aber suggeriert sie nicht eher, sich statt als Liebenden als jemanden zu erleben, von dem der andere in der Erfüllung seiner Passion abhängt? Erwarte ich den anderen als passioniert liebend, so erwarte und genieße ich mich als Geliebten, dessen Hingabe – versagt, verzögert, gewährt – den anderen motiviert. Aber kann ich mich als geliebt sehen, wenn ich den mich Liebenden sehen muß als jemanden, der mich als jemanden sieht, der ihn in einer zwangshaften, unbeherrschbaren Passion bestätigen – oder leiden lassen kann? Kann ich in dieser Erwartung mich selbst identifiziert finden? Muß ich mich dann nicht als Gaukelbild verstehen, das ihn beherrscht, und die Situation als Chance für eigene Passionen ergreifen, die ihn in die gleiche Rolle bringen?

Auf das gleiche Bedenken führt die folgende Überlegung: Man weiß, wie schwer es einem passioniert Liebenden fällt, zu erkennen und hinzunehmen, daß er nicht wiedergeliebt wird. Daran ist ablesbar, daß stark projektive Gefühle involviert sind.[53] Projektion aber heißt, daß man den anderen nach Ichbedürfnissen abbildet – korrekter formuliert: daß man den anderen so definiert, daß sein Erleben bestätigt, was man selbst zu sein wünscht.[54] Gerade diese Einstellung ist aber wie prädestiniert dazu, das reale Erleben des anderen zu verfehlen, lernunfähig zu sein und so Mißverständnisse auszulösen, die sich nicht im Dissens

über Gegenstände der Welt, sondern in der Fehlleitung des Erwartens von Erwartungen auswirken, also diejenige Ebene der Verständigung treffen, auf der die Ehe integriert werden muß.
So gestellt, liegt das Problem der Liebe nicht mehr in der Verunreinigung durch sinnliche Passion und auch nicht mehr in der Beteiligung eines Eigeninteresses. Es gipfelt vielmehr in der Frage, ob die Passionierung der Liebe – als institutionelle Forderung wie als faktisches Erleben – jener Subtilität komplementärer Bewußtheit menschlicher Beziehungen gerecht zu werden vermag, die zur Erhaltung der Liebe unentbehrlich und keineswegs so »chimärisch« ist wie der pur amour, sondern durchaus geleistet werden kann. Und gerade hierfür bleibt die Fundierung in der Sexualität wesentlich. Sexualität zwingt zu unabspaltbarer Selbstbeteiligung. Sie verbaut den Rückzug in die »reine Liebe«, die den Liebenden von sich selbst und daher auch von dem Selbst, das der andere sieht und begehrt, und daher auch von dem Selbst, von dem der andere sich gesehen und begehrt fühlt, distanziert. Nur in dieser mehrfachen Reflexivität des bewußten Lebens und Fühlens

wird der andere als Subjekt und nicht bloß als Substanz geliebt.

Etwas davon ist eingefangen und auf ein normales Leistungsniveau gebracht im amerikanischen Ernüchterungsideal der »companionship«, das den romantischen Liebeskomplex abzulösen scheint.[55] In ihm ist die soziale Verklammerung auf der Basis der Sexualität erhalten in der Form der Bereitschaft zu gemeinsamen Freizeitaktivitäten. Gerade die Belanglosigkeit und Austauschbarkeit dieser Aktivitäten – für den Abend Party, Fernsehen oder sexueller Verkehr – bildet dann einen stabilisierenden Faktor, denn sie läßt sich nur durch Teilnahme des anderen überdecken und entlastet zugleich von Konflikten: Es kommt nicht darauf an, was, sondern nur darauf, daß man etwas gemeinsam unternimmt.

V.

Passionierte Liebe ist eine unwahrscheinliche Institution. So nahe es für den einzelnen liegen mag, sich leidenschaftlich zu verlieben, so voraussetzungsvoll und problematisch ist die Institutionalisierung der Liebe als Passion. Eheschließung und Familienleben auf dieser Grundlage bilden nicht nur ein persönliches, sondern auch ein gesellschaftliches Risiko. Zum Verständnis dieser Institution gehört es daher zu sehen, unter welchen Umständen, wie und durch Lösung welcher Folgeprobleme dies Risiko tragbar und eine evolutionär unwahrscheinliche Institution damit wahrscheinlich wird. Dafür haben uns die Schwierigkeiten der Systembildung und Systemerhaltung nach Maßgabe von Liebe bereits ein Beispiel gegeben. Weitere Aspekte erschließen sich, wenn man auf die Probleme der Integration dieser riskierten Institution und der auf ihr beruhenden Sozialsysteme achtet.

Ausdifferenzierung und funktionale Spezifikation bringen unvermeidlich ein hohes Maß an Nichtintegriertheit der Liebe mit sich. Das zeigt sich am unmittelbarsten daran, daß unter dem spezifischen Gesichtspunkt passionierter Liebe Möglichkeiten entworfen werden, die sich gesamtgesellschaftlich nicht realisieren lassen. Ein überdimensionierter Zuschnitt legitimierter Erwartungen und Reduktionsnotwendigkeiten *innerhalb* der Gesellschaft sind die Folge.[56] Liebe ist nicht nur qua Ideal, sondern auch qua Institution eine Überforderung der Gesellschaft. Diese Lage erfordert einerseits ein gutes Maß an nichtmitinstitutionalisiertem common sense auf seiten der Liebenden, zum anderen Toleranzen für sie in anderen gesellschaftlichen Sphären, vor allem einen wirksamen politischen Schutz der Intimsphäre.[57] Außerdem müssen deutliche Systemtrennungen den Handelnden signalisieren, in welchem Relevanzschema sie jeweils agieren und welches den Vortritt genießt: Die Frau des Ministerialrats darf nicht auf den Gedanken kommen, aus Liebe zu ihrem Mann bei seinem Staatssekretär auf eine Beförderung zu drängen; die Verlobte des Studenten darf es nicht als Vernachlässigung empfinden, wenn seine Passion aussetzt, während er sich aufs Examen vorbereitet. Neben solchen Vorrangregelungen dient vor allem die Definition der Liebe als privat, als intim, wenn nicht geheim – und auch dieser Aspekt wird plausibel durch ihren Bezug zur Sexualität – dazu, ihre Maßlosigkeit auf das gesellschaftlich Mögliche zurückzuschneiden.

Man darf annehmen, daß die Überforderung sich auch auf die psychischen Systeme und die Organismen derjenigen bezieht, denen passionierte Liebe zugemutet wird: Nicht jeder hat die Fähigkeit, hat Lust, Zeit und Gelegenheit dazu, und kaum jemand hält es durch. In dieser Hinsicht muß es soziale Mechanismen geben, die eine mehr oder weniger große Diskrepanz von Darstellung und Realität zu tragen vermögen. Auch hier erfüllen die Gardinen der Privatheit ihre Funktion: Sie erlauben zunächst zu verbergen, daß man sich liebt – und später, daß man sich nicht liebt. Im übrigen darf man annehmen, daß in weitem Umfange mit Hilfe verbreiteter Klischees Oberflächenverständigungen über Liebe zustande kommen zwischen Partnern, die bereit sind, sich zu heiraten.
Andere Folgeprobleme der funktionalen Differenzierung entstehen daraus, daß Liebe für Intimbeziehungen reserviert, in ihnen verstärkt erwartet wird – und dann anderswo fehlt. Das verbreitete Klagen über die Kühle und Distanziertheit der modernen Gesellschaft – durch Tönnies in diesen Begriff selbst hineininterpretiert –, über Entfremdung und Mangel an emotionaler Erfülltheit von

Arbeit, Verkehr und Organisation reflektiert diese Lage.[58] Für Gefühlsbedürfnisse werden Chancen zu konzentrierter Befriedigung bereitgehalten, die andere Systeme von entsprechenden Funktionen entlasten und ihnen die Rekrutierung abgesättigter, ausgeglichener und leistungsfähiger Persönlichkeiten ermöglichen sollen. Die Grenzen der Gesellschaft und der für sie möglichen Welt verfließen ins Unbestimmte und bleiben emotional unbesetzt, und innerhalb der Gesellschaft bilden sich jene Kleinsysteme und Sonderwelten, mit denen der einzelne sich identifizieren kann.

Das heißt nicht nur, daß die Gesellschaft in weiten Bereichen nun unpersönliche Motivationsmittel braucht. Ebenso bedeutsam ist ein zweiter, komplementärer Gesichtspunkt: daß der einzige Ort, an dem der einzelne konkret in *all* seinen Rollen zu überblicken ist, der optimale Standort sozialer Kontrollen, nun in einer engen, ausschnitthaften, besonders konstituierten und nicht allgemein akzeptierten Welt liegt und daher als Ansatzpunkt gesellschaftlicher Kontrollen ausfällt. Man kann auch formulieren: Die Gesellschaft muß die effektivsten und vor allem die gerechtesten Formen sozialer Kontrolle an Teilsysteme delegieren, die ihre eigene, unterschiedliche Moral entwickeln und ihre Grenzen nicht mit denen der Gesellschaft identifizieren. Zumindest die Gattenliebe – im Unterschied zur Liebe zwischen Eltern und Kindern – entfällt als Vehikel der Übermittlung sozialer Werte und Kontrollen. Das Argument: wenn Du mich lieben willst, mußt Du viel verdienen, regelmäßig zur Kirche gehen und zur politischen Wahl, ist uns moralisch suspekt wie jede Konditionierung der Liebe auf Interaktionsbedingungen;[59] und selbst bei strafbaren Handlungen erwarten wir, daß die Liebe nicht deswegen aufgekündigt wird.

An einem weiteren Problem läßt sich vorführen, wie Folgeprobleme einer Institution auf den einzelnen überwälzt und ihm als Ängste und Verhaltenslasten in tragbarer Gewichtung zugemutet werden. Die Idee der passionierten Liebe stilisiert sie als unwahrscheinlichen Glücksfall, als riskantes Schicksal. Wie soll man je Gewißheit haben, daß dieses in seiner Art einzige Glück eingetreten ist: daß man liebt und geliebt wird in einer Weise, die nie anders werden kann?[60] Die Generalisierung und symbolische Überzogenheit des Mediums macht die Beweisfrage akut. Aber der Beweis wird durch die ambivalente Normierung der Liebe erschwert. Was sollen die Liebenden einander beweisen: Impulsivität oder Dauer? Zufälligkeit oder Vorbestimmheit? Hemmungsloses Ausgeliefertsein an die eigene Passion oder Glauben an die Idealität des Partners? Notwendigkeit der Wahl oder Freiheit der Wahl im Vergleich zu anderen Möglichkeiten?

Eine positive Funktion dieser Beweisschwierigkeiten liegt darin, daß sie den Entschluß zur Ehe motivieren. Der Geschlechtsakt selbst ist durch kulturelle Trivialisierung als Beweismittel weitgehend entwertet, da ein Interesse daran ohnehin unterstellt wird. Man kann am Morgen danach schon wieder zweifeln, ob das Liebe war. Denn hochentwickelte körperliche Sensibilität, die aus dem Moment die Gewißheit der Dauer zumindest des eigenen Gefühls gewinnen könnte, kann nicht als verbreitet vorausgesetzt werden. So bleibt die Bereitschaft zur Ehe als typischer Beweis, die Ablehnung der Ehe ist fast schon Gegenbeweis, und nur die, die eine Ehe nicht eingehen *können* (zum

Beispiel, weil sie schon verheiratet sind), haben Anlaß, ihre Phantasie zu quälen.
Abgesehen davon erleichtert körperliche Schönheit und Attraktivität die Beweisführung – vor allem auch, was nicht unwichtig ist, Dritten gegenüber. Schönheit gehört als wesentlicher Bestandteil in das Vorstellungssyndrom Liebe[61] und scheint auch ein fast unentbehrliches künstlerisches und literarisches Requisit zu sein.[62] Vielleicht liegt einer der Gründe dafür hier: Wer sich schön weiß, dem fällt es leichter, sich geliebt zu glauben, und wer einen schönen Menschen liebt, kann andere und sogar sich selbst leichter von seiner Liebe überzeugen.
Belastet mit dieser Motivations-, Überzeugungs- und Beweisproblematik bedeutet Heirat nach Liebe für den einzelnen die Chance und Gefahr, unverheiratet zu bleiben. Das muß in einer Gesellschaft, die Liebe als Ehegrundlage institutionalisiert, ohne weittragende gesellschaftliche Probleme möglich sein, muß gleichsam zum tragbaren Privatschicksal werden.[63] Gewisse Behinderungen im Zugang zu sozialen Kontakten scheinen zu bestehen.[64] Andererseits gibt es keine religiösen Pro-

bleme[65] und kaum wirtschaftliche oder berufliche Benachteiligungen.

Wesentlich schwieriger sind die Probleme des Lernens der Liebe zu lösen. In den Anfängen der neuzeitlichen Pädagogik wurde darin eine wesentliche Aufgabe gesehen. Inzwischen hat die Fundierung der Liebe in sexuellen Beziehungen und der damit gegebene Absonderungszwang der Liebenden eine institutionelle Lösung innerhalb wie außerhalb der Familie nahezu unmöglich gemacht.[66] Die Lernmöglichkeiten, die die Gesellschaft offeriert, sind heute zwar leicht zugänglich, betreffen aber immer nur Teilaspekte, die das Wesentliche auslassen. In den »seminars of the street« (Aubert), den Latrinenwänden, Zeitungsständen, Filmen und im Gerede der Gleichaltrigen lernt man nicht viel mehr, als die Universalität des Interesses an Sexualität vorauszusetzen – was vor allem dem hilft, der Mut braucht. Den besorgten Eltern verdankt man ein Bewußtsein der Risiken und allenfalls noch der hygienischen Notwendigkeiten. Die angestellten Pädagogen lehren, seltsam unpädagogisch, den Vorgang als objektivierte Physiologie – und nicht als Empfindung. Die unmittelbare Ausbildung eigener Erfahrungen im direkten Privatunterricht findet keine gesellschaftliche Billigung und bietet im übrigen wenig Gewähr dafür, daß sie den zu stellenden Anforderungen genügt. Verführung und Prostitution sind die Rollenkontexte, die dafür bereitstehen. So bleibt es dem Zufall überlassen, ob erste geschlechtliche Erfahrungen lernfähige Empfindungsweisen prägen oder ob sie als hygienischer Schematismus objektiviert und irgendwo zwischen Zähneputzen und Sichkratzen untergebracht werden.

Nicht besser steht es mit dem Lernen der darübergebauten sozialen Erwartungsstruktur zwischen Liebenden. Wir haben gewisse Anhaltspunkte dafür, daß eine Mehrzahl von Liebesaffären die Liebesfähigkeit des normalen einzelnen nicht bricht oder abstumpft, sondern eher steigert und zur Entwicklung emphatischer Fähigkeiten führt.[67] Aber auch für solche Liebeskarrieren gibt es keine institutionalisierten Bahnen, sondern im Gegenteil moralische Mißbilligung, die sich mit der Idee der Liebe befeuert.

Es fehlt nach alldem ausreichende Vorsorge für

die Ausbildung verfeinerter körperlicher und sozialer Sensibilität, für alles, was nicht in der Naturausstattung mitgegeben ist, sondern gelernt werden muß, und damit auch jede Vorsorge dafür, daß der einzelne lernen kann, seine Erfahrungen mit sich und mit Partnern zu individualisieren. Die moderne »Vergesellschaftung sexueller Beziehungen«, von der Klaus Dörner[68] spricht, bietet wenig Ansatzpunkte für die Entwicklung zu einer tradierfähigen Kultur. Immerhin ermöglicht sie anstelle gezielten Lernens ein gewisses voreheliches Testen sexueller Kompatibilität. Die kulturellen Normen, die dazu zwangen, unter dem Druck gefühlsmäßig hochgespannter Erwartungen Anschein für Eignung zu nehmen, sind im Abflauen begriffen.[69]

Mit diesen Analysen sind einige Dysfunktionen aufgezeigt, die als strukturell bedingte Probleme unsere Gesellschaft belasten, damit aber noch nicht ohne weiteres überlebenswichtigen, nichtkompensierbaren Rang besitzen. Die Institutionalisierung des Kommunikationsmediums Liebe in besonderen Prozessen und Teilsystemen der Gesellschaft hängt nicht unmittelbar von dem

Anspruchsniveau ab, auf dem die Folgeprobleme dieser Ausdifferenzierung und funktionalen Spezifikation gelöst werden. Gerade hier gilt, daß funktionale Differenzierung die Möglichkeit der Projektion von Möglichkeiten eröffnet, die niemals ausgeschöpft werden können. Isolierte Betrachtungen einzelner Institutionen, Medien, Teilsysteme verführen in unserer funktional differenzierten Gesellschaft zu übertriebenen Forderungen, zur Moralisierung von Teilfunktionen oder zum Leiden an der Krise. Davor kann nur eine Theorie der Gesellschaft bewahren, die in ihrer Begrifflichkeit den Überblick über das Ganze sucht.

Dortmund, im März 1969

Anmerkungen

1 Siehe Niklas Luhmann, Soziologie als Theorie sozialer Systeme. Kölner Zeitschrift für Soziologie und Sozialpsychologie 19 (1967), S. 615-644; wieder abgedruckt in: Niklas Luhmann, Soziologische Aufklärung 1. Aufsätze zur Theorie sozialer Systeme, 6. Aufl., Opladen 1991, S. 113-136.

2 Siehe die Unterscheidung von »semantic problem« und »effectiveness problem« bei Claude E. Shannon/Warren Weaver, The Mathematical Theory of Communication, Urbana/Ill. 1949, S. 95 f. und als Versuch einer Verbindung beider Russell L. Ackoff, Towards a Behavioral Theory of Communication, Management Science 4 (1958), S. 218-234.

3 Diese Offenheit funktionaler Definitionen in bezug auf erfüllende Leistungen hat den Vorzug, sehr heterogene Erscheinungen vergleichbar zu machen, und den Nachteil, daß der Begriff selbst keine Deduktion und keine Vollständigkeitskontrolle der erfüllenden Leistungen ermöglicht.

4 Vgl. näher Niklas Luhmann, Selbststeuerung der Wissenschaft, Jahrbuch für Sozialwissenschaft 19 (1968), S. 147-170.

5 Eine Korrelation dieser Variable mit Attraktivität stellen Paul F. Secord/Carl W. Backman, Interpersonal Congruency, Perceived Similarity, and Friendship, Sociometry 27 (1964), S. 115-124, fest.

6 Hierzu vgl. Peter L. Berger/Hansfried Kellner, Die Ehe und die Konstruktion der Wirklichkeit. Eine Abhandlung zur

Mikrosoziologie des Wissens, Soziale Welt 16 (1965), S. 220-235.

7 Vgl. z.B. Leon Festinger, Informal Social Communication. Psychological Review 57 (1950), S. 271-282; John W. Thibaut/Harold H. Kelley, The Social Psychology of Groups, New York 1959, S. 42 ff.; Theodore M. Newcomb, The Prediction of Interpersonal Attraction, The American Psychologist 11 (1956), S. 575-586; und ders., The Acquaintance Process, New York 1961; Donn Byrne, Interpersonal Attraction and Attitude Similarity, The Journal of Abnormal and Social Psychology 62 (1961), S. 713-715.

8 Vgl. dazu die Ausarbeitung der Dimension konkret-abstrakt als Grundvariable der psychischen Erlebnisverarbeitung bei Kurt Goldstein/Martin Scheerer, Abstract and Concrete Behavior. An Experimental Study with Special Tests, Psychological Monographs 53 (1941), No. 2, auszugsweise übersetzt in: Carl F. Graumann (Hg.), Denken, Köln-Berlin 1965, S. 147-153; und O.J. Harvey/David E. Hunt/Harold M. Schroder, Conceptual Systems and Personality Organization, New York-London 1961, mit der ebenso interessanten wie fragwürdigen Tendenz, den konkreten Stil der Erlebnisverarbeitung als pathologisch zu deuten.

9 Als eine empirische Untersuchung dieser Frage vgl. Marjorie Fiske Lowenthal/Clayton Haven, Interaction and Adaptation. Intimacy as a Critical Variable, American Sociological Review 33 (1968), S. 20-30.

10 Dieser Vorgang trägt die funktionale Differenzierung der neuzeitlichen Gesellschaft. Siehe für die politische Macht z.B.

Shmuel N. Eisenstadt, The Political Systems of Empires, New York-London 1963; für geldgesteuerte Marktwirtschaft z.B. Karl Polanyi/Conrad M. Arensberg/Harry W. Pearson, Trade and Market in the Early Empires, Glencoe/Ill. 1957; für die Wissenschaft Luhmann, Selbststeuerung der Wissenschaft, a.a.O.

11 Insofern wäre zu erwägen, philia nicht, wie üblich, durch Freundschaft und auch nicht durch Liebe, sondern durch Solidarität zu übersetzen.

12 Vgl. hierzu und zum folgenden Franz Dirlmeier, ΦΙΛΟΣ und ΦΙΛΙΑ im vorhellenischen Griechentum, Diss. München 1931.

13 Vgl. dazu Manfred Riedel, Zur Topologie des klassisch-politischen und des modern-naturrechtlichen Gesellschaftsbegriffs, Archiv für Rechts- und Sozialphilosophie 51 (1965), S. 291-318 (294 ff., 321 f.).

14 Siehe dazu William J. Goode, Soziologie der Familie, München 1967, S. 81 ff.

15 Vgl. Aristoteles, Nik. Ethik 1157 b 28 ff. mit der Unterscheidung von philesis als pathos und philia als hexis (charakterliche Grundhaltung). Passionierte Liebe bleibt danach ein Kräfte absorbierendes Seitenleben ohne gesellschaftliche und ohne familienbegründende Funktion. Vgl. dazu auch Henry T. Finck, Primitive Love and Love Stories, New York 1889. Zur Überleitung in die mittelalterliche Diskussion siehe Thomas von Aquino, Summa Theologiae I, II qu. 26 a. 4, wo die Unterscheidung dem Begriff des amor als passio *untergeordnet*

und auf die Formel eines Unterschieds von amor amicitiae und amor concupiscentiae gebracht wird, die vorausweist auf heutige Unterscheidungen von wertrational und zweckrational oder expressiv und instrumental, wobei der Begriff der passio jedoch rein intellektuelle Empfindungen einschließt.

16 Bemerkenswerte Reflexionen, die daran anknüpfen, finden sich bei Vilhelm Aubert, A Note on Love, in: ders., The Hidden Society. Totowa/N.J. 1965, S. 201-235. Im übrigen handelt es sich um ein Standardthema soziologischer Lehrbücher. Vgl. etwa Willard Waller/Reuben Hill, The Family. A Dynamic Interpretation, 2. Aufl., New York 1951, insbes. S. 113 ff.

17 Dies notiert auch Aubert, a.a.O., S. 229: »Once more one is struck by the enormous variety and inconsistency of the norms and beliefs involved in the social structuring of love. The normative system appears to function less as a guidance than as a rationalization for whatever might happen in this area of life which is so extraordinarily complex.«

18 William J. Goode, Soziologie der Familie, a.a.O., S. 81, spricht im Hinblick darauf von Liebe als »ideologischer Vorschrift«; Waller/Hill, a.a.O., S. 113, sprechen von »cultural imperative«.

19 Vgl. zu diesem Unterschied Rodney Needham, Structure and Sentiment. A Test Case in Social Anthropology, Chicago 1962; ferner Claude Lévi-Strauss, Les structures élémentaires de la parenté, Paris 1949. Ob und in welchem Maße diese Strukturen auf die individuelle Gefühlsentfaltung schon Rücksicht nehmen oder gar darin ihre latente Funktion

haben, ist in der ethnologischen Literatur umstritten. Siehe George C. Homans/David M. Schneider, Marriage, Authority, and Final Causes. A Study of Unilateral Cross-Cousin Marriage, Glencoe/Ill. 1955; und dazu die scharfe Kritik von Needham, a.a.O.

20 Siehe dazu als vergleichende Untersuchungen George A. Theodorson, Romanticism and Motivation to Marry in the United States, Singapure, Burma, and India, Social Forces 44 (1965), S. 17-27; und Robert O. Blood Jr., Love-Match and Arranged Marriage. A Tokyo-Detroit Comparison, New York 1967; und unter der Perspektive sozialen Wandels Hiroshi Wagatsuma/George De Vos, Attitudes Toward Arranged Marriage in Rural Japan, Human Organization 21 (1962), S. 187-200. Vgl. ferner Frank F. Furstenberg Jr., Industrialization and the American Family. A Look Backward, American Sociological Review 31 (1966), S. 326-337 (bes. S. 329 ff.). – Bemerkenswert auch die Gegenüberstellung dieser beiden Möglichkeiten als »Extreme« in Hegels Grundlinien der Philosophie des Rechts, § 162: »Die Extreme hierin sind das eine, daß die Veranstaltung der wohlgesinnten Eltern den Anfang macht, und in zur Vereinigung der Liebe füreinander bestimmt werdenden Personen hieraus, daß sie sich, als hierzu bestimmt, bekannt werden, die Neigung entsteht – das andere, daß die Neigung in den Personen, als in *diesen* unendlich partikularisierten zuerst erscheint. – Jenes Extrem oder überhaupt der Weg, worin der Entschluß zur Verehelichung den Anfang macht und die Neigung zur Folge hat, so daß bei der wirklichen Verheiratung nun beides vereinigt ist, kann selbst als der sittlichere Weg angesehen werden. – In dem anderen Extrem ist es die unendlich *besondere* Eigentümlichkeit, welche ihre Prätensionen geltend macht und mit dem subjektiven

Prinzip der modernen Welt zusammenhängt. – In den modernen Dramen und anderen Kunstdarstellungen aber, wo die Geschlechterliebe das Grundinteresse ausmacht, wird das Element von durchdringender Frostigkeit, das darin angetroffen wird, in die Hitze der dargestellten Leidenschaften durch die damit verknüpfte gänzliche *Zufälligkeit*, dadurch nämlich gebracht, daß das ganze Interesse als nur auf *diesen* beruhend vorgestellt wird, was wohl für *diese* von unendlicher Wichtigkeit sein kann, aber es *an sich* nicht ist.« Daß Hegel der Passion ihre Wichtigkeit an sich bestreitet und deshalb jenes erste Extrem veranstalteter Eheschließung bevorzugt, hat seinen Grund darin, daß er die gesellschaftliche Funktion der Passionierung der Liebe, nicht zuletzt infolge *seines* vorsoziologischen Gesellschaftsbegriffs, nicht erkennt.

21 Hierzu William J. Goode, The Theoretical Importance of Love, American Sociological Review 24 (1959), S. 38-47 (43 ff.).

22 Dies gilt ungeachtet dessen, wie man sich im einzelnen das »Passen« der Partner vorstellt. Dazu vgl. die umstrittene »Komplementaritätstheorie« von Robert F. Winch, Mate Selection, New York 1958.

23 Vgl. dazu allgemein Niklas Luhmann, Reflexive Mechanismen, Soziale Welt 17 (1966), S. 1-23; wieder abgedruckt in: Niklas Luhmann, Soziologische Aufklärung, a.a.O., S. 92-112.

24 Parallelüberlegungen für den Bereich des Rechts und seine Positivierung durch Normierung von Normierungen finden sich in meiner Rechtssoziologie (Vorlesungsmanuskript Kap. 4, II).

25 Das gilt klassisch für die große Kontroverse zwischen Bossuet und Fénélon. Hierzu vgl. Robert Spaemann, Reflexion und Spontaneität. Studien über Fénélon, Stuttgart 1963. Bezeichnend dafür ist im übrigen eine von Spaemann zitierte Passage aus Rémond, dit le Grec Agathon, Dialogue sur la volupté. Receuil des divers écrits. Publ. par Saint-Hyacinthe (Pseudonym für Voltaire), Paris 1736, S. 33/34: »La volupté c'est le plaisir pénétré de l'intelligence: la sensation pur est brutalité, mais la conscience de la sensation est délicatesse.«

26 Jene Formulierung aus Levana, § 121, in: Sämmtliche Werke, Bd. 23, Berlin 1842, S. 47.

27 Jean Guitton, Essai sur l'amour humain, Paris 1948, S. 9, spricht von einer seit dem 19. Jahrhundert sich ausbreitenden »sexologie positive«.

28 Eine Formulierung, die Talcott Parsons beim Vergleich von Geld, Macht und Einfluß als Tauschmedien verwendet. Siehe: On the Concept of Political Power, Proceedings of the American Philosophical Society 107 (1963), S. 232-262; neu gedruckt in: Talcott Parsons, Sociological Theory and Modern Society, New York 1967, S. 297-354.

29 Eine Gegenüberstellung von Symbiose und Konsens findet sich auf älteren Grundlagen und mit einem weiteren Begriff von Symbiose bei Edward Gross, Symbiosis and Consensus as Integrative Factors in Small Groups, American Sociological Review 21 (1956), S. 174-179. Vgl. ferner Bert N. Adams, Interaction Theory and the Social Network, Sociometry 30 (1967), S. 64-78; Daniel Katz/Robert L. Kahn, The Social Psychology of Organizations, New York-Sydney-London 1966, S. 34 f.

30 Hierzu auch Aubert, a.a.O., S. 222 f.

31 Vgl. dazu Jürgen Habermas, Erkenntnis und Interesse, Frankfurt 1968, S. 208 ff., der ganz allgemein annimmt, die Umgangssprache verdanke die Möglichkeit der Selbstinterpretation »dem komplementären Verhältnis zu den nicht-verbalen Ausdrucksformen des Handelns und der Expression, welches sie wiederum im Medium der Sprache selber ausdrükken kann« (213).

32 Bei anderen Medien stehen zur Bezeichnung dieser Generalisierungsleistung besondere Worte zur Verfügung, die im Falle der Liebe fehlen. Die Generalisierung der politischen Macht wird durch den Begriff der Legitimität, die Generalisierung der Wahrheit durch den Begriff der Theorie, die Generalisierung des Geldes durch den Begriff der Liquidität vom Medium selbst unterschieden.

33 Es wäre interessant, diese Kontrastierung, die auf der Entgegensetzung von Handlung und System beruht, in ihren Denkvoraussetzungen zu vergleichen mit der Jahrhunderte währenden theologischen Diskussion des Problems der reinen Liebe, deren Angelpunkt in der Frage eines Eigeninteresses des Liebenden an seinem durch Liebe erreichbaren Glück bzw. Seelenheil lag. Auf dem letzten Höhepunkt dieser Diskussion, in der bereits erwähnten Kontroverse zwischen Bossuet und Fénélon, gehören Instrumentalität und Systemerhaltung schon zu den formulierten Denkvoraussetzungen, werden aber noch nicht gegeneinandergekehrt, sondern bilden die gemeinsame Basis einer noch theologisch geführten Auseinandersetzung.

34 Vgl. dazu Dieter Claessens, Familie und Wertsystem. Eine Studie zur »zweiten, sozio-kulturellen Geburt« des Menschen, Berlin 1962, S. 88 ff.

35 Vgl. Waller/Hill, a.a.O., S. 120 ff., gut auch in den Ausführungen über die darin liegenden Belastungen und Konfliktquellen für die spätere Liebe (S. 131 ff.); Hugo G. Beigel, Romantic Love, American Sociological Review 16 (1951), S. 326-334; Theodorson, a.a.O., insbes. S. 18, 25 f.

36 Waller/Hill, a.a.O., S. 126 f., sehen deshalb im romantischen Liebeskomplex eine Form der Selbstdisziplinierung einer individualistisch gewordenen Gesellschaft.

37 Zu dieser zunächst sprachwidrig erscheinenden Begriffsbildung ermutigt der bereits eingelebte Sprachgebrauch der behavioristischen Lerntheorie, der genau dies meint: Indifferenz gegen eine Überzahl verschiedenartiger Informationen durch die Umwelt, die es überhaupt erst möglich macht, Gleichheiten unter Kategorien zu ordnen.

38 Eine der wenigen brauchbaren Einsichten aus Schopenhauers Metaphysik der Geschlechtsliebe: vgl. Sämtliche Werke (hg. von Wolfgang Frhr. von Löhneysen), Bd. II, Darmstadt 1961, S. 686 f., 703.

39 Vgl. dazu allgemein Erving Goffman, Where the Action is, in: ders., Interaction Ritual. Essays in Face-to-Face Behavior, Chicago 1967, S. 149-270, insbes. 194 ff.

40 Dieser Einsicht trägt Parsons zum Beispiel dadurch Rechnung, daß er sein allgemeines Schema der Systemfunktionen

auf jeder Ebene der Systemdifferenzierung, also auch für Teilsysteme und Teilsysteme von Teilsystemen, *als Ganzes wiederholt*.

41 Die in der Ehe ihren »unmittelbaren Begriff« hat, wie Hegel treffend formuliert, um sich damit von der »schändlichen« Vorstellung einer auf Vertrag beruhenden Ehe zu distanzieren – vgl.: Grundlinien der Philosophie des Rechts, § 160 bzw. § 75.

42 Vgl. S. 31 f.

43 Vgl. etwa Aubert, a.a.O., S. 218, 224, angeregt vor allem durch die literarische Tradition.

44 Siehe z.B. Ernest W. Burgess, The Romantic Impulse and Family Disorganization, Survey Graphic 57 (1926), S. 290-294. Über spätere amerikanische Forschung zur Entzauberung und Abkühlung der Liebe in der Ehe vermittelt Robert O. Blood Jr., Marriage, New York 1962, S. 200 ff., einen Überblick.

45 »Love matches either succeed more gloriously or fail more miserably than arranged marriages«, entnimmt Blood, a.a.O. (1967), S. 83, seinen in Japan durchgeführten Erhebungen.

46 Vgl. die Angaben bei Goode, a.a.O. (1967), S. 173.

47 Etwa im Vergleich zu den Scheidungsfrequenzen der Römer oder der Araber, die sich für den Bestand von Ehen mehr auf die Mitgift als auf die Moral verließen.

48 Siehe zu dieser Unterscheidung Ronald D. Laing/Herbert H. Philippson/A. Russell Lee, Interpersonal Perception. A Theory and a Method of Research, London 1966.

49 Das bestätigen empirische Forschungen, die zeigen, daß bei attraktiven Beziehungen die angenommene Übereinstimmung die wirkliche Übereinstimmung übersteigt. Siehe Donn Byrne/Barbara Blaylock, Similarity and Assumed Similarity of Attitudes between Husbands and Wives, The Journal of Abnormal and Social Psychology 67 (1963), S. 636-640; George Levinger/James Breedlove, Interpersonal Attraction and Agreement. A Study of Marriage Partners, Journal of Personality and Social Psychology 3 (1966), S. 367-372.

50 In dieser Rücknahme auf die Ebene der Reflexivität liegt zugleich das Korrektiv für die Konfliktträchtigkeit, die mit der täglich-symbiotischen Verdichtung der Lebensbeziehungen gegeben ist. Vgl. dazu Kurt Lewin, Die Lösung sozialer Konflikte. Ausgewählte Abhandlungen über Gruppendynamik, Bad Nauheim 1953, S. 128 ff., der die Gefahr, nicht aber das Korrektiv gesehen hat.

51 Vgl. dazu die in der neueren Psychologie getestete Hypothese, daß komplexere Persönlichkeitssysteme in geringerem Maße auf vorgegebene Strukturen (Reduktion von Komplexität) des sozialen Systems angewiesen sind – was auch umgekehrt besagt, daß unbestimmt (hier: durch Liebe) strukturierte Sozialsysteme auf komplexere, alternativenreicher erlebende, »reflektiertere« Persönlichkeiten angewiesen sind. Vgl. z.B. Harold M. Schroder/O.J. Harvey, Conceptual Organization and Group Structure, in: O.J. Harvey (Hg.), Motivation and Social Interaction. Cognitive Determinants, New York

1963, S. 134-166; Paul Stager, Conceptual Level as a Composition Variable in Small-Group Decision-Making, Journal of Personality and Social Psychology 5 (1967), S. 152-161 – allerdings mit dem Fehler des Psychologen, die Komplexität eines Sozialsystems *direkt* aus der Komplexität der beteiligten Persönlichkeiten herzuleiten.

52 So Edward F. Griffith, Die Bejahung der Sexualität in der Ehe, in: Hans Harmsen (Hg.), Die gesunde Familie in ethischer, sexualwissenschaftlicher und psychologischer Sicht, Stuttgart 1958, S. 14-20 (20). Vgl. dazu Vilhelm Aubert, The Hidden Society, Totowa/N.J. 1965, S. 72 ff.

53 Goode, a.a.O. (1959), S. 38, Anm. 1, formuliert: »Love is the most projective of emotions, as sex is the most projective of drives.«

54 Vgl. die Interpretation projektiver Erlebnisverarbeitung bei Laing u.a., a.a.O.

55 Vgl. z.B. Ernest W. Burgess/Harvey J. Locke, The Family. From Institution to Companionship, New York 1945; oder Robert O. Blood Jr./Donald M. Wolfe, Husbands and Wives. The Dynamics of Married Living, Glencoe/Ill. 1960, S. 146 ff.

56 Auch dieser Vorgang hat genaue Parallelen bei anderen Medien: Nicht alle Wahrheiten bzw. technischen Realisierungsmöglichkeiten von Wahrheiten sind politisch oder wirtschaftlich oder religiös oder in Intimbeziehungen akzeptierbar (Problem der notwendigen Latenz bzw. der Realisierungsschranken des technisch Möglichen); nicht alle politische

Macht kann ratione status durchgesetzt werden (Problem der Grundrechte); nicht alles, was man bezahlen könnte, darf gekauft werden – zum Beispiel nicht Liebe, nicht politischer Einfluß, nicht Einfluß auf Wahrheitsbildung. Es ist überdies bezeichnend, daß die Gesellschaft in all diesen Fällen nicht mehr auf ein inneres Maß ihrer Institutionen, sondern auf normative Schranken und auf den selektiven Effekt von Systemgrenzen vertrauen muß.

57 Der wirksamste politische Schutz liegt hier im übrigen nicht, wie bei anderen funktionalen Sektoren der Gesellschaft, in der Schaffung entsprechender Organisationen und in deren politischem Gleichgewicht, sondern in der *Gleichheit des Interesses aller.*

58 Übrigens findet sich, bei noch theologischer Themenstellung, dieser Kontrast bereits in den Diskussionen des Problems der Liebe in der frühen Neuzeit – nämlich in der Mystifikation der Liebe als Reaktion auf die Gottferne (= theologische Uninterpretierbarkeit), Fremdheit und »Trockenheit« der modernen Welt.

59 Siehe zum Parallelproblem *interner* Interaktionsbedingungen oben S. 50 f.

60 Auch diese Frage zeigt im übrigen Züge einer säkularisierten theologischen Problematik.

61 Siehe z.B. Henry T. Finck, Romantic Love and Personal Beauty, London 1887. Damit liegt das Schönheitsideal formal und inhaltlich noch keineswegs fest. Es kann, wie seine Entwicklung in den beiden letzten Jahrzehnten zeigt, Charme weitgehend aufgeben und bietet sogar Platz für vulgäre Bruta-

lisierungen, so als ob es gelte, statt Liebe die Unerschöpflichkeit sexueller Potenz zu beweisen.

62 Eine eindrucksvolle Ausnahme bot vor einigen Jahren der amerikanische Film »Marty«.

63 Vgl. die soziologisch allerdings wenig ergiebige Darstellung solcher Privatschicksale bei Erich Stern, Die Unverheirateten, Stuttgart 1957.

64 Diese Benachteiligungen beruhen indes vermutlich weniger auf institutionellen Barrieren als vielmehr darauf, daß dem Unverheirateten die Initiativen eines kontaktstärkeren Ehepartners fehlen, die ihn mitreißen und bei anderen einführen könnten.

65 Man vergleiche dazu Gesellschaften, deren Religiosität sich konkret im Ahnenkult ausdrückt und die schon deshalb zur Sicherung der Fortsetzung des Kultes arrangierte, pflichtmäßige, wenn nicht gar erzwungene Eheschließung vorsehen. Siehe etwa T'ung-Tsu Ch'ü, Law and Society in Traditional China, Paris-Den Haag 1961, S. 99 ff.; oder Nobushige Hozumi, Ancestor-Worship and Japanese Law, Tokio 1901, S. 49 ff., für eine heute weitgehend abgebaute Ordnung.

66 Vgl. dazu Aubert, a.a.O., S. 202, 206 ff. Ferner, recht oberflächlich, David R. Heise, Cultural Patterning of Sexual Socialization, American Sociological Review 32 (1967), S. 726-739.

67 Vgl. Waller/Hill, a.a.O., S. 138 f., 144 f., im Anschluß an die Erhebungen von Clifford Kirkpatrick/Theodore Caplow,

Courtship in a Group of Minnesota Students, American Journal of Sociology 51 (1945), S. 114-125.

68 Die sexuelle Partnerschaft in der Industriegesellschaft. Zu einer kritischen Soziologie der Sexualität, Soziale Welt 17 (1966), S. 329-345. Siehe auch den Hinweis, S. 331, auf »die erheblich nachlassende Formungskraft der Sexualität auf die übrigen Verhaltensweisen des Menschen« (Bürger-Prinz), dem man jedoch die Frage entgegenhalten muß, ob und weshalb es früher anders war.

69 Beigel, a.a.O., S. 333, traute sich noch zu formulieren: »Sex as a selective agent is ineffectual in our culture since the premarital testing of sexual compatibility is interdicted. Instead, the attraction produced by psychosexual emotions is taken as an indication of mutual suitability. It does not, of course, fulfill this expectation ...«. Die eigentliche Schranke liegt aber heute nicht mehr in dem Verbot vorehelicher Geschlechtsbeziehungen, sondern in der kulturellen Norm: »Erst die Liebe, dann der Verkehr«, die an dessen Stelle getreten ist und immer noch eine beträchtliche Einschränkung der Möglichkeiten, insbesondere eine Desavouierung des umgekehrten Verlaufs bedeutet.

Editorische Notiz

Das Buch *Liebe als Passion* erschien zu Beginn der achtziger Jahre (Frankfurt 1982). Acht Jahre zuvor hatte Luhmann bereits eine allgemeine Theorie der Kommunikationsmedien vorgestellt, die es ihm erlauben sollte, auch Liebe als eines dieser Medien zu begreifen und sie mit anderen Medien wie Wahrheit, Geld oder Macht zu vergleichen.* Das Liebesbuch nutzt die soziologischen Denkmittel dieser Theorie, darunter vor allem die attributionstheoretische Unterscheidung zwischen Erleben und Handeln, ohne sich freilich die Aufgabe zu stellen, die Medientheorie der Liebe als solche zu explizieren. Vielmehr verfolgt es das wissenssoziologische Programm, die Ideengeschichte des Liebesthemas verständlich zu machen. Von ähnlicher Indirektheit ist auch die letzte Behandlung der Liebesthematik im Kommunikationskapitel von »Die Gesellschaft der Gesellschaft« (Frankfurt 1997). Wie der Aufsatz von 1974 ist auch sie in erster Linie auf Medienvergleiche hin angelegt.

* Der Aufsatz heißt: Einführende Bermerkungen zu einer Theorie symbolisch generalisierter Kommunikationsmedien, neu gedruckt in: Niklas Luhmann, Soziologische Auklärung 2, Opladen 1975, S.170-193.

Anders in dem hier vorgelegten Text, der im Jahre 1969 entstand: Rückblicke auf die Geschichte der Liebesidee, aber auch Seitenblicke auf parallele Erscheinungen in anderen Medienbereichen treten deutlich zurück, und statt dessen liest man eine Soziologie moderner Liebesbeziehungen, die ihr Thema direkt angeht.* Entsprechend läßt der Autor den historischen Apparat des Gelehrten beiseite, um sich an aktueller Forschungsliteratur zu orientieren. Entstanden ist so eine Untersuchung von sehr hoher Lesbarkeit. Anders als das sperrige Liebesbuch, das seinen Lesern nichts schenkt, kann man sich diesen Text auch in den Händen der soziologischen Laien und der systemtheoretischen Novizen gut vorstellen.

Dem entspricht die Entstehung des Aufsatzes aus den Bedürfnissen der akademischen Lehre. Geschrieben als Textgrundlage für eines der ersten Seminare, die Luhmann an der Universität Bielefeld anbot, blieb er seinerzeit ungedruckt. Auch in das Buch von 1982 wurden nur einige Passagen übernommen. Danach verschwand das Manuskript in Luhmanns Büro. Als es vor einigen Wochen aus einer der Kisten wiederauftauchte, die seit dem Tode des Soziologen seinen wissenschaftlichen Nachlaß bergen, lag es nahe, den

* Vgl. Macht, Stuttgart 1975.

Text so rasch für Publikation vorzubereiten, daß er rechtzeitig zur zehnten Wiederkehr des Todestages im November diesen Jahres erscheinen kann. Dankenswerterweise haben sich Veronika Luhmann-Schröder und Andreas Gelhard diesen Vorschlag sogleich zu eigen gemacht.

Bielefeld im Juni 2008 André Kieserling